最新实用汉语口语

Practical Spoken Chinese

下册　Volume Two

张　军 编著

北京大学出版社

目　　录
CONTENTS

下　　册
Volume Two

Dì-shíliù kè   Zài yóujú

第十六课   在 邮局
Lesson 16   At the Post Office

一、句子 Sentences

Yóujú jǐ diǎnzhōng kāiménr?

426. 邮局 几 点钟 开门儿？

What time does the post office open?

Yóujú shénme shíhou kāishǐ yíngyè?

427. 邮局 什么 时候 开始 营业？

When does the post office open?

Wǒ yào jì yī zhāng míngxìnpiàn.

428. 我 要 寄 一 张 明信片。

I want to mail a postcard.

Wǒ dǎsuan gěi wǒ péngyou jì fènr shēngri lǐwù.

429. 我 打算 给我 朋友 寄 份儿 生日 礼物。

I'm going to send my friend a birthday gift.

Jì guàhào xìn yào duōshao qián?
430. 寄 挂号 信 要 多少 钱?
What is the postage for a registered letter?

Nǐ yào jìdào shénme dìfang?
431. 你 要 寄到 什么 地方?
Where do you want to mail this to ?

Yī fēng jìdào Niǔyuē de tèkuài zhuāndì yào duōshao
432. 一 封 寄到 纽约 的 特快 专递 要 多少
yóufèi?
邮费?
What's the postage for express mail to New York?

Jìdào Mòsīkē de hángkōng guàhào xìn yào jǐ tiān
433. 寄到 莫斯科 的 航空 挂号 信要 几 天
shíjiān?
时间?
How many days will it take for registered airmail to reach Moscow?

Yào yī gè xīngqī zuǒyòu cái néng dào.
434. 要 一 个 星期 左右 才 能 到。
It will take about a week.

Nǐ de xìn chāozhòng le.
435. 你 的 信 超重 了。
Your letter is overweight.

Píngxìn yīnggāi tiē duōshao qián de yóupiào?

436. 平信 应该 贴 多少 钱 的 邮票?

How much postage should I stick on surface mail?

Yóupiào bìxū tiē zài nǎr?

437. 邮票 必须 贴 在 哪儿?

Where should I put the stamps?

Yóupiào ràng wǒ tiē zài xìnfēng bèimiàn le.

438. 邮票 让 我 贴 在 信封 背面 了。

The stamp was put on the back of the envelope by me.

Zhōngwén dìzhǐ zěnme xiě?

439. 中文 地址 怎么 写?

How is the address written in Chinese?

Shōuxìnrén de dìzhǐ xiě zài shàngmian.

440. 收信人 的 地址 写 在 上面。

Write the address of the recipient on the top of the envelope.

Qǐngwèn wǒmen zhèr de yóuzhèng biānmǎ shì duōshao?

441. 请问 我们 这儿 的 邮政 编码 是 多少?

Excuse me, what is the zip code of this area?

442. Qǐng nǐ bāngmáng chá yī chá nàge dìqū de yóuzhèng
请你 帮忙 查一查 那个地区的 邮政
biānmǎ.
编码。
Could you help me to find out the zip code of that area?

443. Xìn bù néng jiā zài yìnshuāpǐn lǐmiàn yóujì.
信不 能 夹在 印刷品 里面 邮寄。
You can't mail your letter in the printed matter.

444. Wǒ xiǎng bǎ zhège bāoguǒ jìdào Fǎguó qù.
我 想 把 这个 包裹 寄到 法国 去。
I want to sent this parcel to France.

445. Nǐmen yǒu zhǐxiāng mài ma?
你们 有 纸箱 卖 吗?
Do you have any parcel boxes?

446. Qǐngwèn, yǒu méi yǒu jì gěi wǒ de bāoguǒ? Wǒ jiào
请问, 有 没 有 寄 给 我 的 包裹? 我 叫
Zhāng Mǐn.
张 敏。
Excuse me, are there any parcels for me? My name is Zhang Min.

447. Bāoguǒdān ràng wǒ nòngdiū le.
包裹单 让 我 弄丢 了。
I lost my parcel form.

Nǎge chuāngkǒu mài jìniàn yóupiào?
448. 哪个　窗口　卖 纪念 邮票？
At which window do you sell the commemorative stamps?

Hái yǒu méiyǒu guānyú Xīzàng de jìniàn yóupiào?
449. 还 有 没有 关于 西藏 的 纪念 邮票？
Do you still have any commemorative stamps about Tibet?

Wǒ shì yī gè jíyóumí.
450. 我 是 一 个 集邮迷。
I am a stamp collector.

二、词语 New Words and Phrases

1. 邮局　　　（名）　yóujú　　　　　post office

2. 开门儿　　（动）　kāiménr　　　　to open

3. 营业　　　（动）　yíngyè　　　　to do business; to open

4. 寄　　　　（动）　jì　　　　　　to send; to mail

5. 明信片　　（名）　míngxìnpiàn　　postcard

6. 礼物　　　（名）　lǐwù　　　　　gift; present

7. 信　　　　（名）　xìn　　　　　letter

8. 挂号　　　（动）　guàhào　　　　to register

9. 挂号信　　　　　guàhào xìn　　registered letter

10. 封	（量）	fēng	(a measure word)
11. 纽约	（专）	Niǔyuē	New York
12. 特快专递		tèkuài zhuāndì	mail by express delivery
13. 邮费	（名）	yóufèi	postage
14. 莫斯科	（专）	Mòsīkē	Moscow
15. 航空	（动）	hángkōng	airmail
16. 才	（副）	cái	only then
17. 超重	（动）	chāozhòng	overweight
18. 平信	（名）	píngxìn	surface mail
19. 邮票	（名）	yóupiào	stamp
20. 应该	（助动）	yīnggāi	should; must; ought to
21. 贴	（动）	tiē	to stick
22. 必须	（助动）	bìxū	must; have to
23. 让	（介）	ràng	by
24. 信封	（名）	xìnfēng	envelope
25. 背面	（名）	bèimiàn	the back; the reverse side
26. 收信人	（名）	shōuxìnrén	the recipient of a letter; addressee
27. 上面	（名）	shàngmian	above; on top of; on the surface of
28. 邮政	（名）	yóuzhèng	postal service
29. 邮政编码		yóuzhèng biānmǎ	postcode; zip code
30. 帮忙	（动）	bāngmáng	to help; to give a hand; to

				do a favour
31.	查	(动)	chá	to check; to look up; to look into
32.	地区	(名)	dìqū	area; district; region
33.	夹	(动)	jiā	to place in between; to press from both sides
34.	印刷品	(名)	yìnshuāpǐn	printed matter
35.	里面	(名)	lǐmiàn	inside
36.	纸箱	(名)	zhǐxiāng	paper box
37.	包裹单	(名)	bāoguǒdān	parcel form
38.	弄丢		nòngdiū	lost
39.	丢	(动)	diū	to loose; lost
40.	窗口	(名)	chuāngkǒu	window
41.	纪念	(动)	jìniàn	to commemorate; commemoration; commemorative
42.	纪念邮票		jìniàn yóupiào	commemorative stamp
43.	关于	(介)	guānyú	about
44.	西藏	(专)	Xīzàng	Tibet
45.	集邮	(动)	jíyóu	to collect stamps
46.	迷	(名)	mí	fan; fiend
47.	集邮迷	(名)	jíyóumí	stamp collector
48.	写	(动)	xiě	to write

三、会话 Dialogues

(一)

Tóngzhì, wǒ yào jì liǎng fēng xìn.
A: 同志，我要寄两封信。
Comrade, I want to mail two letters.

Jì píngxìn háishi jì hángkōng xìn?
B: 寄平信还是寄航空信？
Surface mail or airmail?

Yī fēng píngxìn, yī fēng hángkōng guàhào xìn.
A: 一封平信，一封航空挂号信。
One surface mail and one registered airmail.

Zhè fēng píngxìn wǔ máo, zhè fēng jìdào Fēizhōu de
B: 这封平信五毛，这封寄到非洲的
hángkōng guàhào xìn chāozhòng le.
航空挂号信超重了。
Fifty cents for the surface mail, but the registered airmail to Africa
is overweight.

Nà yào duōshao qián yóupiào ne?
A: 那要多少钱邮票呢？
What's the postage for that?

Wǒ chēng   yīxiàr,   yào qī kuài sì.
B: 我 称 一下儿,要 七 块 四。
Let me weigh it, 7.4 *yuan*.

Gěi nǐ qián.
A: 给 你 钱。
Here you are.

Zhè shì nǐ de yóupiào.
B: 这 是 你 的 邮票。
Here are your stamps.

Yóuxiāng zài   nǎr?
A: 邮箱 在 哪儿?
Where is the mailbox?

Zài mén wài mǎlù pángbiān.
B: 在 门 外 马路 旁边。
On the side of the street at the entrance.

(二)

Nǎge chuāngkǒu mài jìniàn yóupiào?
A: 哪个 窗口 卖 纪念 邮票?
Which window sells the commemorative stamps?

Zài bā hào chuāngkǒu.
B:在 八 号 窗口。
Window No. 8

Qǐngwèn, Sīchóu Zhī Lù de jìniàn yóupiào hái yǒu ma?
A:请问，丝绸 之 路 的 纪念 邮票 还 有 吗？
Excuse me, are there any commemorative stamps left about the Silk
Road?

Zǎo jiù ràng rén mǎiguāng le.
B:早 就 让 人 买 光 了。
Sorry, there are no stamps left.

Hái yǒu biéde jìniàn yóupiào ma?
A:还 有 别的 纪念 邮票 吗？
Do you have any other commemorative stamps?

Hái shèng yīxiē guānyú Xīzàng de jìniàn yóupiào.
B:还 剩 一些 关于 西藏 的 纪念 邮票。
There are some stamps about Tibet left.

Wǒ kànkan xíng ma? Ō, hěn piàoliang.
A:我 看看 行 吗？喔，很 漂亮。
Let me have a look, please. Oh, they are very beautiful.

Nǐ yào mǎi jǐ tào?
B：你 要 买 几 套？

How many sets you want to take?

Gěi wǒ wǔ tào, wǒ yào jì gěi wǒ péngyou zuò shēngri
A：给 我 五 套，我 要 寄 给 我 朋友 作 生日
lǐwù.
礼物。

Give me five sets, I'll mail them to my friend as a birthday gift.

四、补充词语
Supplementary New Words and Phrases

1. 非洲	（专）	Fēizhōu	Africa
2. 称	（动）	chēng	to weigh
3. 邮箱	（名）	yóuxiāng	mailbox; postbox
4. 丝绸之路	（专）	Sīchóu Zhī Lù	the Silk Road
5. 剩	（动）	shèng	be left; to remain
6. 作	（动）	zuò	to regard as; to take sb. or sth. for
7. 信纸	（名）	xìnzhǐ	letter paper
8. 正面	（名）	zhèngmiàn	the obverse side; the right side
9. 寄信人	（名）	jìxìnrén	sender
10. 浆糊	（名）	jiànghu	paste

11. 圣诞卡	（名）	shèngdànkǎ	Christmas card
12. 邮递员	（名）	yóudìyuán	postman
13. 危险品	（名）	wēixiǎnpǐn	dangerous goods
14. 集邮册	（名）	jíyóucè	stamp album

五、练习 Exercises

1. 替换练习：Substitution drills：

Jìdào Niǔyuē de tèkuài zhuāndì yào duōshao yóufèi?

1) 寄到 纽约 的特快专递要 多少 邮费？

Bālí	guàhào xìn
巴黎	挂号信
Lúndūn	hángkōng xìn
伦敦	航空信
Běijīng	píngxìn
北京	平信
Měiguó	bāoguǒ
美国	包裹

Yóupiào ràng wǒ tiē zài xìnfēng bèimiàn le.
2) 邮票 让 我 贴 在 信封 背面 了。

dìzhǐ 地址	wǒ xiě zài xìnfēng bèimiàn le 我 写 在 信封 背面 了
shǒubiǎo 手表	tā nònghuài le 他 弄坏 了
yú 鱼	dìdi chī le 弟弟 吃了
qiánbāo 钱包	wǒ nòngdiū le 我 弄丢 了

2. 口头回答问题:

Answer the following questions in oral:

Zhōngwén dìzhǐ zěnme xiě?
1) 中文 地址 怎么 写?

Nǐ xiǎng jì shénme xìn?
2) 你 想 寄 什么 信?

Jìdào shénme dìfang?
3) 寄到 什么 地方?

Yóupiào yīnggāi tiē zài nǎr?
4) 邮票 应该 贴 在 哪儿?

丝 绸 之 路

丝绸之路是历史上中西交往的纽带，其主线自唐朝的长安（今西安）经河西走廊、新疆、帕米尔高原、中亚、西亚到欧洲、北非，是连接欧亚非三大陆的文化、商业交流之路。

丝绸之路的开辟者，一般认为是西汉的使者张骞，他曾率领汉朝众使者到达西域各国。东汉的班超、甘英再度西行，曾到过古罗马。

丝绸之路的开辟，对当时东西方文化与经济交流意义巨大。中国的四大发明（指南针、火药、造纸术、印刷术）就是通过丝绸之路传到西方去的，中国的丝绸、瓷器、铁器、皮革、药材也通过这条人迹罕至的丝绸之路被贩运到西方。西方的天文、数学、工艺品也从这条路传到中原。

宋、元以后，由于河流改道、风沙加剧、战火连绵，丝绸之路开始衰落，丝绸之路上的许多名城也逐渐消失于风沙之中。

除了陆上的丝绸之路外，人们还把从福建出发到西亚、北非去的航路称为海上丝绸之路。

丝绸之路沿线，历史文化悠久，文化遗址众多，曾经吸引过不少西方探险家。今天，丝绸之路仍以其历史感与神秘感，吸引着大量的中外游客。

The Silk Road

The Silk Road was a link through which China and the West communicated in history. The main road ran from Chang'an (now Xi'an) in the Tang Dynasty through Hexi Corridor, Xinjiang, the Pamirs, Central Asia, Western Asia to Europe and North Africa. It was a road that linked Europe, Asia and Africa in culture and commerce.

Zhang Qian, a Western Han Dynasty emissary, was generally believed to be the starter of the road, who headed emissaries of the Han Dynasty to travel to the Western Regions. Ban Chao and Gan Ying in the East Han travelled again to the west and reached as far as ancient Rome.

The opening up of the Silk Road played a tremendous significant role at the time in the exchange of culture and economy between east and west. It was through this road that the four inventions in ancient China got to known by the west. Also through this road, China's silk, porcelain, ironware, leather, herb medicine, etc., were sold to the West, whose astronomy, mathematics and handicraft articles in return were brought to China.

After the Song and Yuan Dynasties, liveliness on the Silk Road began to wane as rivers changed their routes, sandstorms became more serious and wars broke out one after another.

Many busy cities on the Silk Road gradually disappeared in the sandstorms.

Besides the Silk Road on the land, the sea route at that time from the Fujian Province to Western Asia and North Africa was called the Silk Road on the sea.

All along the Silk Road, there are numerous ancient cultural remains with a long history. They used to attract lots of western explorers. Today, with all its history and mystery, the Silk Road still attracts lots of tourists from China and abroad.

青藏高原

青藏高原位于中国西南部，海拔在 3 500 米以上，是世界上最高的高原，有"世界屋脊"之称。直到今天，青藏高原仍在上升之中，幅度为每年约 5～6 毫米。所以青藏高原也是中国的主要地震区，20 世纪以来已发生过 6 次 8 级以上地震，同时，这里的地热资源也很丰富，温泉、沸泉分布很广。

青藏高原上有许多高峰，世界上最高的珠穆朗玛峰就在这里，同时这里又有大型的盆地如柴达木盆地，有大型的沙漠戈壁滩，有占全国冰川总面积 4/5 的冰川，还有火山、溶洞。

青藏高原由于地形复杂，常可见到山地景观垂直分布的状态，从热带雨林直至荒漠应有尽有。

由于海拔很高，青藏高原地广人稀，尽管它包括西藏、青海、新疆、四川、甘肃、云南等省的全部或部分，人口也只有 1 300 万左右，是藏、回、纳西、白等少数民族居住之地。藏族是这里的主要民族，他们在这块高原上放牧牛羊。绝大部分藏族人信奉喇嘛教并且十分虔诚，他们的生活方式较原始，牛羊肉是主要食物，十几年前，多数藏族人还不吃蔬菜。

Qinghai-Xizang Plateau

Qinghai-Xizang Plateau is located in the south-western part of China. It is over 3,500 metres above sea level, the highest plateau in the world. It wins the popularity of "the Roof of the World." Qinghai-Xizang Plateau is still rising today and the rising speed is five to six millimetres every year. That's why Qinghai-Xizang Plateau is China's major earthquake area. Earthquakes of over magnitude eight have occured six times since the 20th century. Furthermore, the geothermal resources are quite abundant here. Hot springs as well as boiling springs are widely spread.

Qinghai-Xizang Plateau has many high peaks. The world-famous highest peak, Mount Qomolangma, lies here. Deserts also exist in some basins, such as the great Qaidam Basin with the Gobi Desert. Here also lies four-fifths of the country's glaciers, and many volcanos and karst caves.

Qinghai-Xizang Plateau has a varied topography, so you can enjoy a landscape of a mountainous region scattered vertically, ranging from tropical rain forests to deserts.

Due to the high elevation, Qinghai-Xizang Plateau has a vast territory but sparse population. Although it occupies all or part of the areas of Xizang, Qinghai, Xinjiang, Sichuan, Gansu and Yunnan, it has the population of only about 13 million. Here live such minorities as the Zang, Hui, Naxi, Bai, etc.. Zang is the major race here and they mianly herd sheep and cattle in this plateau. Most of the Zang people believe in Lamaism and they are very pious. They have a comparatively primitive life style, mutton and beef are their major food. Before 10 years ago they didn't even eat any vegetables.

(translated by Luo Hongbin)

Dì-shíqī kè　　Dǎ diànhuà
第十七课　　打　电话
Lesson 17　Making a Phone Call

一、句子 Sentences

Diànhuà zài　nǎr?
451. 电话 在 哪儿?
Where is the phone?

Nǎr　yǒu gōngyòng diànhuà?
452. 哪儿 有 公用 电话?
Where is the public telephone?

Nǎr　néng dǎ chángtú diànhuà?
453. 哪儿 能 打 长途 电话?
Where can I make a long-distance call?

Zhè bù diànhuà kěyǐ　dǎ chángtú ma?
454. 这 部 电话 可以 打 长途 吗?
Can I make a long-distance call with this phone?

Dǎdào Dōngjīng de chángtú duōshao qián yī fēnzhōng?
455. 打到 东京 的 长途 多少 钱 一 分钟？
How much is it per minute for a call to Tokyo?

Wèi, zǒngjī ma?
456. 喂，总机 吗？
Operator?

Nǐ néng bāng wǒ jiē zhège hàomǎ ma?
457. 你 能 帮 我 接 这个 号码 吗？
Could you help me to get this number?

Qǐng nǐ gěi wǒ jiē èrsānqīyāo fēnjī.
458. 请 你 给 我 接 2371 分机。
Could you get me extension two-three-seven-one?

Qǐng gěi wǒ zhuǎn liùlíngsān fángjiān.
459. 请 给 我 转 603 房间。
Please get me room 603.

Wǒ xiǎng ràng duìfāng fùkuǎn.
460. 我 想 让 对方 付款。
I want to reverse the charge.

Diànhuà zhànxiàn.
461. 电话 占线。
The line is engaged.

Zǒngjī, wǒmen de diànhuà duàn le.

462. 总机，我们 的 电话 断 了。

Operator, we have been cut off.

Diànhuà méi rén jiē.

463. 电话 没人 接。

There is no answer.

Nǐ gěi wǒ jiēcuò le.

464. 你 给 我 接错 了。

You gave me the wrong number.

Wèi, wǒ shì Lǐ Míng.

465. 喂，我 是 李 明。

Hello, this is Li Ming.

Wǒ xiǎng zhǎo Lǐ Fāng jiē diànhuà.

466. 我 想 找 李 芳 接 电话。

I'd like to speak to Li Fang.

Lǐ Fāng, nǐ de diànhuà!

467. 李 芳，你 的 电话！

Li Fang, telephone for you.

Tā xiànzài bù zài.

468. 她 现在 不 在。

She is not here.

Máfan nǐ gàosu tā wǒ gěi tā dǎguo diànhuà.

469. 麻烦你告诉他我给他打过电话。

Will you tell him I called?

Máfan nǐ ràng tā gěi wǒ huí gè diànhuà.

470. 麻烦你让他给我回个电话。

Would you tell him to call me back, please?

Diànhuàfèi shì duōshao?

471. 电话费是多少?

What is the cost for the call?

Wǒ tīng bù qīng nǐ shuō shénme.

472. 我听不清你说什么。

I can't hear you very well.

Wǒ xiǎng pāi yī gè diànbào, yī gè zì duōshao qián?

473. 我想拍一个电报,一个字多少钱?

I want to send a telegram, how much is it per word?

Wǒ yào fā yī gè chuánzhēn.

474. 我要发一个传真。

I want to send a fax.

Qǐng gěi wǒ yī zhāng diànbào zhǐ.

475. 请给我一张电报纸。

May I have a telegram form, please?

二、词语 New Words and Phrases

1.打	(名)	dǎ	to make (a phone call)
2.电话	(名)	diànhuà	telephone
3.公用电话	(名)	gōngyòng diànhuà	public telephone
4.长途	(名)	chángtú	long-distance
5.长途电话	(名)	chángtú diànhuà	long-distance call
6.部	(量)	bù	(a measure word)
7.东京	(专)	Dōngjīng	Tokyo
8.喂	(叹)	wèi	hello
9.总机	(名)	zǒngjī	switchboard; telephone exchange
10.帮	(动)	bāng	to help
11.接	(动)	jiē	to connect to (an extension)
12.分机	(名)	fēnjī	extension
13.转	(动)	zhuǎn	to connect to (an extension)
14.对方	(名)	duìfāng	the other side
15.付款	(动)	fùkuǎn	to pay
16.占线	(动)	zhànxiàn	the line is engaged
17.断	(动)	duàn	to be cut off

18. 李明	(专)	Lǐ Míng	(name of a person)
19. 李芳	(专)	Lǐ Fāng	(name of a person)
20. 麻烦	(动)	máfan	to trouble; trouble
21. 回	(动)	huí	to call back
22. 费	(名)	fèi	fee; charge
23. 清	(形)	qīng	clear; clearly;
24. 拍	(动)	pāi	to send (a telegram)
25. 字	(名)	zì	word; character
26. 发	(动)	fā	to send (a telegram, etc.)
27. 传真	(名)	chuánzhēn	facsimile

三、会话 Dialogues

(一)

Wèi, shì Guójì Dà Jiǔdiàn ma?
A: 喂，是 国际 大 酒店 吗？
　Hello, is this the International Hotel?

Shì, nín yào nǎr?
B: 是，您 要 哪儿？
Yes. Which extension do you want?

Qǐng gěi wǒ zhuǎn wǔ'èryāoliù fēnjī.

A: 请 给 我 转 5216 分机。

Extension 5216, please.

Qǐng shāohòu. Duìbuqǐ, diànhuà zhànxiàn, qǐng nín shāohòu

B: 请 稍候。对不起，电话 占线， 请 您 稍后

zài bō.

再 拨。

Just a moment. I'm sorry, the line is busy. Call again later, please.

......

Wèi, shì Yuèhuá Gōngsī ma?

A: 喂，是 粤华 公司 吗？

Hello, is this the Yuehua Company?

Zhè shì Yuèhuá Gōngsī, qǐngwèn nín zhǎo shéi?

C: 这 是 粤华 公司，请问 您 找 谁？

Yes, this is the Yuehua Company. Who do you want to speak to?

Wǒ xiǎng zhǎo Wáng jīnglǐ tīng diànhuà.

A: 我 想 找 王 经理 听 电话。

I want to speak to manager Wang.

Duìbuqǐ, Wáng jīnglǐ zhèngzài kāihuì.

C: 对不起， 王 经理 正在 开会。

I'm sorry, Mr. Wang is having a meeting.

Máfan nín gàosu tā, ràng tā sànhuì yǐhòu gěi wǒ huí gè

A: 麻烦 您 告诉 他，让 他 散会 以后 给 我 回 个

diànhuà.

电话。

Will you tell him to call me back after the meeting?

Hǎo de. Qǐngwèn xiānsheng nín de diànhuà hàomǎ?

C: 好 的。请问 先生 您 的 电话 号码？

Sure. Your phone number, please?

Wǒ de diànhuà hàomǎ shì bāwǔwǔyāoliùwǔyāoyāo zhuǎn

A: 我 的 电话 号码 是 85516511 转

èrsānqīyāo.

2371。

My phone number is 85516511 ext. 2371.

(二)

Wèi, shì Kuàidá Xúnhūtái ma?

A: 喂，是 快达 寻呼台 吗？

Hello, is this Kuaida Paging Service?

Shì, zhè shì Kuàidá Xúnhūtái, qǐngwèn xiānsheng hū

B: 是，这 是 快达 寻呼台，请问 先生 呼

duōshao?

多少？

Yes, this is Kuaida Paging Service. Which number do you

want to page?

Hū yāosānyāoyāobā.

A: 呼　13118。

No.13118, please.

Qǐngwèn xiānsheng guìxìng?

B: 请问　先生　贵姓？

Your surname, please?

Wǒ xìng chén.

A: 我　姓　陈。

My surname is Chen.

Qǐngwèn xiānsheng de diànhuà shì duōshao?

B: 请问　先生　的　电话　是　多少？

Your telephone number, please?

Wǒ de shǒujī shì yāosānbā'èrsānsìwǔliùqībā.

A: 我　的　手机　是　1382345678。

The number of my mobile phone is 1382345678.

Chén xiānsheng, nín hái xūyào biéde fúwù ma?

B: 陈　先生，　您　还　需要　别的　服务　吗？

Do yor need any other service, Mr.Chen?

A:
Qǐng nǐ gěi tā liúyán, ràng tā wǎnshang bā diǎn qù
请 你 给 他 留言，让 他 晚上 八 点 去
Liúhuā Gōngyuán, wǒ zài gōngyuán dàménkǒu děng tā.
流花 公园，我 在 公园 大门口 等 他。
Please send him a massage, tell him to go to Liuhua Park at eight o'clock tonight, I'll wait for him at the entrance.

B:
Hǎo de. Wǎnshang bā diǎn, Liúhuā Gōngyuán, dàménkǒu.
好 的。晚上 八 点，流花 公园，大门口。
Zàijiàn.
再见。
Okay. Eight o'clock tonight, Liuhua Park, at the entrance. Good-bye.

四、补充词语
Supplementary New Words and Phrases

1. 国际　　　(名)　guójì　　　international
2. 国际大酒店　(专)　Guójì Dà Jiǔdiàn　the International Hotel
3. 稍候　　　(动)　shāohòu　　just a minute; just a moment
4. 稍后　　　(名)　shāohòu　　later; a little bit later
5. 拨　　　　(动)　bō　　　　to dial (phone number)
6. 粤华公司　(专)　Yuèhuá　　the Yuehua Company

			Gōngsī	
7. 正在	(副)	zhèngzài	in process of; in course of
8. 开会	(动)	kāihuì	to hold or attend a meeting
9. 散会	(动)	sànhuì	(of a meeting) be over; break up
10. 快达寻呼台	(专)	Kuàidá Xúnhūtái	the Kuaida Paging Service
11. 呼	(动)	hū	to page (sb.)
12. 陈	(专)	Chén	(a surname)
13. 手机	(名)	shǒujī	mobile phone
14. 需要	(动)	xūyào	to need
15. 服务	(名)	fúwù	service
16. 留言	(动)	liúyán	to leave a message
17. 流花公园	(专)	Liúhuā Gōngyuán	the Liuhua Park
18. 大门口	(名)	dàménkǒu	the main entrance
19. 电话号码簿		diànhuà hàomǎbù	telephone directory
20. 普通电报	(名)	pǔtōng diànbào	ordinary telegram
21. 加急电报	(名)	jiājí diànbào	urgent telegram
22. 磁卡电话	(名)	cíkǎ diànhuà	card telephone
23. 移动电话	(名)	yídòng diànhuà	mobile phone
24. 大哥大	(名)	dàgēdà	mobile phone

25. BP 机 　　(名)　BP jī　　　　　　beeper

五、练习 Exercises

1. 替换练习：Substitution drills：

Wǒ xiǎng zhǎo Lǐ Fāng jiē diànhuà.

1) 我 想 <u>找 李芳 接 电话</u>。

qǐng 请	chī wǎnfàn 吃 晚饭
péi 陪	mǎi dōngxi 买 东西
ràng 让	jiē péngyou 接 朋友
jiào 叫	diǎn cài 点 菜

Wǒ tīng bù qīng nǐ shuō shénme.

2) 我 <u>听 不 清</u> 你 <u>说 什么</u>。

kàn bù jiàn 看 不 见	tā zuò shénme 他 做 什么
shuō bù qīng 说 不 清	tā gàn shénme 他 干 什么
kàn bù qīng 看 不 清	tā chī shénme 他 吃 什么
tīng bù jiàn 听 不 见	tā shuō shénme 她 说 什么

2. 口头回答问题：

Answer th following questions in oral：

Nǎr néng dǎ chángtú diànhuà?
1) 哪儿 能 打 长途 电话？

Dǎdào nǐ jiā de chángtú diànhuà duōshao qián yī
2) 打到 你 家 的 长途 电话 多少 钱 一
fēnzhōng?
分钟？

Nǐ xiǎng zhǎo shéi jiē diànhuà?
3) 你 想 找 谁 接 电话？

Nǐ xiǎng pāi yī gè shénme diànbào?
4) 你 想 拍 一 个 什么 电报？

Yī gè zì duōshao qián?
5) 一 个 字 多少 钱？

大 熊 猫

19世纪，当西方人第一次见到熊猫标本的时候，他们坚持说，这是东方的裁缝用其他兽皮缝制而成的。但是，当他们后来看到活的大熊猫时，惊讶得连话都说不出来了。

提起大熊猫，人们也许以为这是一种像熊的猫，或者是像猫的熊。这种想法大错特错。从生物学特征上来讲，熊猫与虎、豹、猫、熊一样，是食肉类哺乳动物，但熊猫偏偏是后来转向了素食主义的哺乳动物，从而独立于其他。

熊猫可以说是地球上仅存的"活化石"型的动物。早在几十万年以前，熊猫曾广泛地分布中国东部，后来同时期的动物纷纷灭绝，唯有熊猫却神奇地逃过劫难，幸存下来。

熊猫的分布极为有限。现在，野生态熊猫仅限于中国陕西省的秦岭南坡、四川省岷山、邛崃山、巴朗山、大小相岭和凉山局部、甘肃省岷山南麓。它的生存，离不开海拔两千多米高处的箭竹林，箭竹是熊猫唯一的食物。1983年，四川邛崃山地区箭竹大面积开花，中国投入大量人力和资金，把当地熊猫迁移到其他地区投食喂养且派人巡逻监视，加以保护，这项工作延续至今。

由于熊猫特殊的科学价值，加上熊猫繁殖极难，箭竹又会周期性开花，为了保护大熊猫，中国政府指定了卧龙等13处大熊猫自然保护区，又严令禁止在任何地方捕杀大熊猫。此外，还组织科技人员致力于熊猫人工繁殖，并已有多次繁殖成功的报道。全世界的人们也都热心地帮助拯救大熊猫的活动，世界野生动物基金会的会徽，就是一只憨态可掬的大熊猫。

The Giant Pandas

In the 19th century when Westerners saw samples of giant pandas for the first time, they insisted that the pandas were made of other animal furs by eastern tailors. But when they later saw the living giant pandas, they were so surprised that they couldn't even say a word.

At the mention of giant pandas, people may think that they are a kind of bear-like cat or cat-like bear. That's totally wrong. Speaking of biological characteristics, pandas should be like tigers, leopards, cats and bears —— mammals feeding on meat. But pandas are different from them, and are vegetarian mammals.

Pandas can be said to be the only animate fossil in existence on earth. As early as several ten thousand years ago, pandas were distributed widely in east China. Later their contemporary animals gradually became extinct, and only pandas surprisingly survived the disasters.

The distribution of pandas is limited. Now wild pandas only live in the southern hillside of Qinling Mountain of shaanxi Province, Min Mountain, Qionglai Mountain, Balang Mountain, Big and Small Xiangling Mountain, and part of Liangshan Mountain of Sichuan Province, and the southern foot of Min Mountain of Gansu Province. Pandas usually exist in the bamboo forest with an elevation of over 2,000 metres. Bamboo is the only food for pandas. In 1983, a large area of bamboos blossom in Qionglai Mountain of Sichuan Province. China then invested plenty of man force and funds in it and transferred local pandas to other areas to feed. And special persons were dispatched to patrol, to watch, and protect them. This task is still going on today.

As pandas have special scientific value and their breeding is rather difficult, bamboo areas will periodically blossom. The Chinese government appointed 13 areas, including Wolong, as natural protective areas to protect pandas. At the same time, they order strictly that giant pandas not be caught or killed anywhere. Besides, scientific and technical staffs are organized to work for pandas' artificial breeding and its success is reported several times. People all over the world are all working for the activity of rescuing pandas. The badge of the world wild animal foundation is a charming and naive giant panda.

(translated by Luo Hongbin)

张　家　界

在湖南省西北的桑植、慈利、大庸三县交界的地方，有一片近年才闻名于世的自然风景区张家界。中国的第一个国家森林公园就座落在这里。

张家界自然保护区保持着原始的自然状态。这里山奇、树秀，是中国亚热带地区生物资源最丰富的地区。

黄狮寨是张家界最高的山峰，海拔 1 200 米。它的周围是悬崖峭壁，只有两条小路可达山顶。登上顶峰，可居高临下，俯瞰张家界群峰奇观。张家界的山峰平地拔起，如千笋挺立，有些像桂林的孤峰，但都是棱角峥嵘、清瘦突兀，山崖及山顶上长满了青松古藤。

关于这几千座孤峰的形成，民间传说是这样讲的：早在秦朝修筑长城的时候，百姓开山运石，痛苦不堪。观音菩萨为了减轻百姓的劳苦，便剪下一束头发送给农民，人们就把头发搓进绳子里，赶着石头前往长城。皇帝知道此事后，命令把头发全部收集起来，做成一条大鞭子，他自己手挥鞭子赶动大山。海龙王得知此事，害怕皇帝移山填海。他知道，这种魔法只能在夜间进行，于是变成一只金鸡，半夜里就啼叫不已，皇帝再也赶不动山了。后来，鞭子变成了金鞭岩，雄鸡也变成了金鸡峰……

张家界不但山美，还有丰富的动植物资源，鸽子树是植物一绝，其他如红榧、红豆杉、万茎藤、以及各种奇异的动物，都向人们展示着张家界那种大自然的美。

The Scenery of Zhangjiajie

In the northwestern part of Hunan Province, at a juncture of Songzhi County, Cili County, and Dayong County, there is a natural scenic spot which has become very famous recently——it is Zhangjiajie. The first national forest park is located here.

The natural protective area of Zhangjajie maintains a primitive natural condition, where the mountains are grotesque, and the trees are elegant. It is an area where the richest subtropical biological resources in China can be found.

Huangshizhai is Zhangjiajie's highest peak with an elevation of 1, 200 metres. It has a surrounding of overhanging cliffs. Only two paths lead to the top of the mountain. After you climb up to the top, you can get a bird's view of clusters of mountain peaks of Zhangjiajie.

Zhangjiajie's mountain peaks are perilous as bamboo shoots stand straight, somewhat similar to Guilin's isolated peaks. They have towering edges and corners, with many pines and old rattans.

As to the formation of thousands of isolated peaks, the legend goes like this: As early as the time when the Great Wall was being built, the common people suffered a lot in cutting into the mountains to carry stones. Guanyin (a Bodhisattva), in order to relieve these people's suffering, cut a bunch of hair and sent it to them. Then the common people rolled the hair into a rope, and drove the stones toward the Great Wall. After the king knew about this, he ordered that all hairs be collected to make a long whip. He brandished the whip himself to drive these high mountains. Hai Longwang (the Dragon King of the sea) learned about it and feared that the king might move the mountains to fill the sea. He knew that this kind of magic could only be done at night, so he became a golden rooster and crowed continuously at midnight. The king couldn't drive away the mountains any more. The whip became the Jinbian Stone (Golden Whip Stone), and the rooster became the Jinji Peak(Golden Rooster Peak)…

Not only are the mountains beautiful in Zhangjiajie, but animals and plants are quite abundant. The Gezi Tree (Dove Tree) is a fine plant, and there are also others such as the Chinese torreya, the ormosia hosie, the vine tree, and all kinds of animals. All these show the natural beauty of Zhangjiajie.

(translated by Luo Hongbin)

Dì-shíbā kè   Zài yīyuàn (shàng)
第十八课　　在　医院　（上）
Lesson 18　At the Hospital（Ⅰ）

一、句子 Sentences

Nǐ zěnme le?
476. 你 怎么 了？
What's wrong with you?

Nǐ nǎr bù shūfu?
477. 你 哪儿 不 舒服？
Where is the trouble?

Nǎr téng?
478. 哪儿 疼？
Where does it hurt?

Zěnme téng?
479. 怎么 疼？
What kind of pain is it?

Téngle duō jiǔ le?
480. 疼了 多 久 了？
How long have you had this pain?

Nǐ zhè zhǒng qíngkuàng yǒu duō jiǔ le?
481. 你 这 种 情况 有 多 久 了？
How long have you been feeling like this?

Wǒ bù tài shūfu.
482. 我 不 太 舒服。
I don't feel well.

Wǒ dùzi téng.
483. 我 肚子 疼。
I have a stomachache.

Wǒ kǒngpà gǎnmào le.
484. 我 恐怕 感冒 了。
I'm afraid I have a cold.

Wǒ késou de hěn lìhai.
485. 我 咳嗽 得 很 厉害。
I have a bad cough.

Wǒ zuótiān xiàwǔ kāishǐ gǎnjuédào bù shūfu.
486. 我 昨天 下午 开始 感觉到 不 舒服。
I began to feel ill yesterday afternoon.

Wǒ yǎnjing li jìn dōngxi le.
487. 我 眼睛 里 进 东西 了。
I have something in my eye.

Jīntiān zǎoshang tùguo liǎng cì le.
488. 今天 早上 吐过 两 次 了。
I've vomited twice this morning.

Wǒ zhèr bù shūfu.
489. 我 这儿 不 舒服。
It is uncomfortable here.

Wǒ shuāishāngle gēbo.
490. 我 摔伤了 胳膊。
I hurt my arm.

Wǒ fāshāo le.
491. 我 发烧 了。
I feel feverish.

Wǒ húnshēn fālěng.
492. 我 浑身 发冷。
I feel shivery.

Wǒ méi yǒu wèikǒu.
493. 我 没 有 胃口。
I have no appetite.

Wǒ shénme dōngxi dōu bù xiǎng chī.

494. 我 什么 东西 都 不 想 吃。

I don't feel like eating anything.

Wǒ shénme dōngxi yě chī bù xiàqù.

495. 我 什么 东西 也 吃 不 下 去。

I can't eat anything.

Nǐ jiēchùguo biéde bìngrén ma?

496. 你 接触过 别的 病人 吗？

Have you been in contact with a disease?

Nǐ shì dì-yī cì zhèyàng ma?

497. 你 是 第一 次 这样 吗？

Is this the first time you've had this?

Wǒ lǎo zuò èmèng.

498. 我 老 做 恶梦。

I'm having nightmares.

Wǒ juéde qíngxù hěn dīluò.

499. 我 觉得 情绪 很 低落。

I'm feeling depressed.

Yáyín zài chūxiě.

500. 牙龈 在 出血。

The gum is bleeding.

二、词语 New Words and Phrases

1. 舒服	（形）	shūfu	comfortable
2. 疼	（形）	téng	ache; pain; sore
3. 肚子	（名）	dùzi	belly; abdomen; stomach
4. 感冒	（动）	gǎnmào	common cold
5. 咳嗽	（动）	késou	to cough
6. 厉害	（形）	lìhai	bad; serious
7. 感觉	（动）	gǎnjué	to feel
8. 眼睛	（名）	yǎnjing	eye
9. 吐	（动）	tù	to vomit
10. 摔	（动）	shuāi	to fall
11. 伤	（动）	shāng	to hurt
12. 胳膊	（名）	gēbo	arm
13. 发烧	（动）	fāshāo	fever
14. 浑身	（名）	húnshēn	from head to foot; all over
15. 发冷	（动）	fālěng	to feel cold (or chilly)
16. 胃口	（名）	wèikǒu	appetite
17. 接触	（动）	jiēchù	to come into contact with
18. 病人	（名）	bìngrén	patient

19.	老	(副)	lǎo	always
20.	恶梦	(名)	èmèng	nightmare
21.	觉得	(动)	juéde	to feel
22.	情绪	(名)	qíngxù	morale; mood
23.	低落	(形)	dīluò	low; downcast
24.	牙龈	(名)	yáyín	gum
25.	出血	(动)	chūxiě	to bleed

三、会话 Dialogues

(一)

Yīshēng, qǐng nín gěi wǒ kànkan.

A: 医生，请 您 给 我 看看。

Doctor, give me a check-up, please.

Nǐ zěnme le?

B: 你 怎么 了？

What's wrong with you?

Wǒ bù tài shūfu.

A: 我 不 太 舒服。

I don't feel well.

Nǎr bù shūfu?
B:哪儿 不 舒服？

Where's the trouble?

Wǒ tóuténg, késou de hěn lìhai.
A:我 头疼，咳嗽 得 很 厉害。

I'm suffering from a headache, and I have a bad cough.

Bǎ shétou shēn chulai gěi wǒ kànkan.
B:把 舌头 伸 出来给 我 看看。

Put your tongue out and let me have a look.

Wǒ de sǎngzi yě hěn téng.
A:我 的 嗓子 也 很 疼。

And I've got a sore throat, too.

Nǐ wèikǒu zěnmeyàng?
B:你 胃口 怎么样？

How about your appetite?

Wǒ shénme dōngxi yě bù xiǎng chī.
A:我 什么 东西 也 不 想 吃。

I don't feel like eating anything.

Bù yàojǐn, nǐ gǎnmào le.
B:不 要紧，你 感冒 了。

It's not serious, you've got a cold.

(二)

Nǐ zěnme le?
A: 你 怎么 了？
What's wrong with you?

Wǒ dùzi hěn téng.
B: 我 肚子 很 疼。
I've got a bad stomach-ache.

Zěnmeyàng téng?
A: 怎么样 疼？
What kind of pain is it?

Wǒ lā dùzi lā de hěn lìhai.
B: 我 拉 肚子 拉 得 很 厉害。
I have a bad diarrhoea.

Hái yǒu ne?
A: 还 有 呢？
What else?

Jīntiān zǎoshang tùguo liǎng cì.
B: 今天 早上 吐过 两 次。
I've vomited twice this morning.

Nǐ zhèyàng duō cháng shíjiān le?
A: 你 这样 多 长 时间 了？

How long have you been suffering like this?

Cóng zuótiān wǎnshang jiù kāishǐ le.
B: 从 昨天 晚上 就 开始 了。

It began at last night.

Tóuyūn ma?
A: 头晕 吗？

Do you feel dizzy?

Tóuyūn.
B: 头晕。

Yes.

Kěnéng shì shíwù zhòngdú. Nǐ yào xiān qù huàyàn.
A: 可能 是 食物 中毒。你 要 先 去 化验。

You've got food poisoning probably. You should first take a test.

四、补充词语
Supplementary New Words and Phrases

1. 头疼　　(动)　tóuténg　　headache

2. 舌头　　(名)　shétou　　tongue

3. 伸　　　(动)　shēn　　　to stretch; to put out

4. 嗓子	（名）	sǎngzi	throat; voice
5. 拉肚子		lā dùzi	diarrhoea
6. 头晕	（动）	tóuyūn	dizzy
7. 食物	（名）	shíwù	food
8. 中毒	（动）	zhòngdú	poisoning
9. 化验	（动）	huàyàn	laboratory test
10. 医生	（名）	yīshēng	doctor
11. 护士	（名）	hùshi	nurse
12. 挂号处	（名）	guàhàochù	registration office
13. 内科	（名）	nèikē	internal department
14. 外科	（名）	wàikē	surgical department
15. 儿科	（名）	érkē	department of pediatrics
16. 眼科	（名）	yǎnkē	department of ophthalmology
17. 骨科	（名）	gǔkē	department of orthopaedics
18. 妇科	（名）	fùkē	department of gynecology
19. 口腔科	（名）	kǒuqiāngkē	department of dentistry
20. 内科医生		nèikē yīshēng	physician
21. 外科医生		wàikē yīshēng	surgeon
22. 牙科医生		yákē yīshēng	dentist
23. 眼科医生		yǎnkē yīshēng	eye doctor
24. 中医	（名）	zhōngyī	traditional Chinese medicine
25. 西医	（名）	xīyī	Western medicine

26. 头	（名）	tóu	head
27. 脸	（名）	liǎn	face
28. 脖子	（名）	bózi	neck
29. 鼻子	（名）	bízi	nose
30. 胸脯	（名）	xiōngpú	chest
31. 背	（名）	bèi	back
32. 耳朵	（名）	ěrduo	ear
33. 手腕	（名）	shǒuwàn	wrist
34. 手指	（名）	shǒuzhǐ	finger
35. 指甲	（名）	zhǐjia	nail
36. 关节	（名）	guānjié	joint
37. 膝盖	（名）	xīgài	knee
38. 腿	（名）	tuǐ	leg
39. 脚	（名）	jiǎo	foot
40. 肩膀	（名）	jiānbǎng	shoulder
41. 肋骨	（名）	lèigǔ	rib
42. 乳房	（名）	rǔfáng	breasts
43. 喉咙	（名）	hóulóng	throat
44. 牙齿	（名）	yáchǐ	tooth
45. 扁桃腺	（名）	biǎntáoxiàn	tonsils
46. 皮肤	（名）	pífū	skin

47. 骨头	(名)	gǔtou	bone
48. 肝脏	(名)	gānzàng	liver
49. 心脏	(名)	xīnzàng	heart
50. 肾	(名)	shèn	kidney
51. 神经	(名)	shénjīng	nerve
52. 胃	(名)	wèi	stomach
53. 肌肉	(名)	jīròu	muscle
54. 痛	(形)	tòng	pain; ache
55. 痒	(形)	yǎng	itch
56. 肿	(形)	zhǒng	swollen
57. 发炎	(动)	fāyán	inflammation
58. 断	(动)	duàn	broken
59. 伤口	(名)	shāngkǒu	wound; cut
60. 流血		liú xiě	to bleed
61. 恶心	(形)	ěxin	nauseous
62. 脱臼	(动)	tuōjiū	dislocated
63. 扭伤		niǔshāng	sprained
64. 烫伤		tàngshāng	scalded
65. 烧伤		shāoshāng	burned
66. 割破		gēpò	cut
67. 擦破		cāpò	grazed
68. 蜇伤		zhēshāng	stung

69.咬伤   yǎoshāng   bitten

五、练习 Exercises

1．替换练习：Substitution drills：

Wǒ shénme dōngxi dōu bù xiǎng chī.

1）我 什么东西 都 不 想 吃。

shénme dìfang 什么 地方	qù 去
shénme diànyǐng 什么 电影	kàn 看
shénme yīfu 什么 衣服	mǎi 买
shénme chē 什么 车	zuò 坐
shénme yǐnliào 什么 饮料	hē 喝

Nǐ zěnme la? ——Wǒ dùzi téng.
2)你 怎么 啦?——我 肚子 疼。

húnshēn 浑身	fālěng 发冷
yǎnjing 眼睛	bù shūfu 不 舒服
yáyín 牙龈	chūxiě le 出血 了
qíngxù 情绪	hěn dīluò 很低落
gēbo 胳膊	shuāishāng le 摔伤 了

2. 用所给词语完成对话:

Complete the dialogues with the given words:

Nǐ nǎr bù shūfu?
1)A:你 哪儿 不 舒服?

(gǎnmào, késou, lìhai)
B:——————。 感冒,咳嗽,厉害

Nǐ wèikǒu zěnmeyàng?
2)A:你 胃口 怎么样?

(shénme dōngxi, bù, chī)
B:——————。 什么 东西,不,吃

Nǐ shénme shíhou kāishǐ gǎnjuédào bù shūfu?
3)A:你 什么 时候 开始 感觉到 不 舒服?

$$\qquad$$

B: ——————。$\left(\dfrac{\text{qiántiān, wǎnshang}}{\text{前天，晚上}}\right)$

Nǐ shuìjiào shuì de zěnmeyàng?
4) A: 你 睡觉 睡 得 怎么样？

B: ——————。$\left(\dfrac{\text{lǎo, èmèng}}{\text{老，恶梦}}\right)$

附录

中　医

对于外国人来讲，中医是神奇的，又是令人大惑不解的：例如牙痛不去治牙，却在手腕处扎上几根十几厘米长的针，奇怪的是牙也就不疼了。相反，对于哪儿有病就治哪儿，中国人还嘲笑他们是"头痛医头，脚痛治脚"。

这样的事例形象地告诉人们，中医是一种和中国人的哲学观融为一体的医学，它讲究的是在治标（疾病）的同时，还要找出并解决致病的原因即治本。

众所周知，中国的哲学，讲究的是从整体上把握事物，中医也不例外。中医把人体看成是一个有组织的整体，并且以"阴阳"学说来统领整个医疗理论。阴阳指相互对立又可互相转化的东西，这是中国古典哲学的两个基础概念。在医学上，它被用来说明人体组织结构、生理功能、疾病发展规律等，所以中医所判断的病症不是阴症，就是阳症。

传统中医诊断也很有意思，它不借助于仪器与化验，而只靠医生观察病人气色，嗅闻病人的气味，询问病症的表现和用食指中指搭在病上手腕上"号脉"来确定疾病，这就是"望、闻、问、切"四诊法。这种诊断方法全靠医生的经验与悟性，所以很难传授给别人，这是造成中医优秀医师不多的原因之一。

The Traditional Chinese Medicine

To foreigners, the Traditional Chinese Medicine (TCM) is of magical effect and extremely puzzling: for instance, when one suffers from a toothache, he is not treated for his toothache but given an acupuncture treatment at his wrist. What is amazing is that his toothache is gone. On the contrary, the Chinese laugh at treating symptoms but not the disease as, "Treat the head when the head aches, treat the foot when the foot hurts."

This example tells us vividly that TCM is a medical science which merges itself with Chinese philosophy.

What TCM stresses is to find out the cause of the disease and cure it when alleviating the symptoms of an illness.

It is well known that Chinese philosophy makes a great point of viewing things as a whole, and TCM is of no exception. TCM views the human body as an organic integrity. Its theory of "Yin"(the feminine or negative) and "Yang"(the masculine or positive) dominates the entire medical theory. Yin and Yang refer to something opposite to each other as well as interchangeable. These are the two fundamental concepts of Chinese ancient philosophy. In medicine, the theory of Yin and Yang is used to explain the organic structure of the human body, the physiological function, the law of the development of a disease, etc.. So any disease in TCM is caused by the unbalance of Yin and Yang, that is either too much Yin or too much Yang.

The diagnostic method of TCM is also very interesting. Diagnoses are made without the aid of any medical instruments or chemical examinations, but by observing the patient's complexion, smelling, inquiring about the patient's illness, and "feeling the pulse." These are the four ways of diagnosis: observing, smelling, inquiring and pulse-feeling. They rely on a doctor's experiences and aptitude for profession. So it is very difficult for a doctor to pass them on to others. That is one of the reasons why there aren't many excellent TCM doctors.

(translated by Wang Xinjie)

气　功

　　在西方人看来，气功是神秘的东方文化中最令人着迷的东西之一。人们只要按照某种姿式调整精神状态和呼吸状态，就可以达到强壮身体、祛除疾病的目的，太不可思议了。

　　气功从一开始就是一种健身的方法，后来分为儒家、道家、佛教、医学和武术五大流派。练气功的方法很多，但都包括：①调整身体姿态以便顺利进行气功呼吸，诱导精神放松。②调整精神状态，达到一种忽视自身感觉的"入静"状态。③改变呼吸方式，改胸式呼吸为腹式呼吸，改浅呼吸为深呼吸。

　　练气功之所以能帮助人们强身健体，是因为它对人体能产生如下影响：排除外来干扰，使心理和生理处于最佳状态；深呼吸可为人体的休息、调整、修复提供有利条件，降低恶劣的外来刺激对人体的危害。

　　从20世纪50年代开始，中国政府就十分重视对气功的研究和整理，许多医疗单位在气功治疗方面做了大量科学研究，希望能找出气功治病的原因，以便把它改造为常用的治病方法。

　　由于气功确实能治病，但人们还没有完全认识到气功治病的原理、适应症状及治疗范围，所以也有少数骗子借机浑水摸鱼，骗人钱财。

Qigong

In the eyes of Westerners, Qigong is one of the most fascinating varieties of mysterious oriental culture. It is incredible to them to see that one can keep himself fit and strong simply by adjusting his state of spirit and respiration in a certain posture.

Qigong has always been a way of keeping fit. It falls into five schools of Confucianism, Taoism, Buddhism, Medicine, and Wushu. Methods of practicing Qigong may vary, but they all include: (1) adjustment of body posture to allow for smooth Qigong respiration and spiritual relaxation. (2) adjustment of spiritual state, with a purpose to acquire "internal peace" in which one is no longer conscious of his existence. (3) changing of respiratory ways, that is, to replace chest-breathing with belly-breathing, and to replace hollow breathing with deep breathing.

Qigong helps one keep oneself healthy, because it exerts on human bodies the following influences: it can get rid of disturbances from outside and keeps one's mood and physiology in their best conditions; deep-breathing provides favourable conditions for relaxation, adjustment and restoration of human bodies, and minimizes the odious impacts from outside.

Ever since the 1950's, the Chinese government has attached great importance to the study and research of Qigong. Quite a few medical institutions have carried on profound research to find out the physiological reasons why Qigong can cure illness. They want to turn it into a normal method of medical treatment.

It is already proven that Qigong can cure ailment, but the physiological reasons and the scope of its application are still not completely understood, there are also some quacks who make use of the people's ignorance of Qigong to cheat them out of their money.

（translated by Dai Canyu）

Dì-shíjiǔ kè   Zài yīyuàn(zhōng)
第十九课   在   医院   (中)
Lesson 19   At the Hospital（Ⅱ）

一、句子 Sentences

Qǐng zài zhèr tǎngxià.
501. 请 在 这儿 躺下。
Please lie down over here.

Zhāngkāi zuǐ.
502. 张开 嘴。
Open your mouth.

Shēn hūxī.
503. 深 呼吸。
Breathe deeply.

Qǐng bǎ xiùzi juǎn qilai.
504. 请 把 袖子 卷 起来。
Please roll up your sleeve.

Qǐng bǎ shàngyī tuō le.
505. 请 把 上衣 脱 了。
Please undress down to the waist.

Qǐng ké yī shēngr.
506. 请 咳 一 声儿。
Cough, please.

Wǒ gěi nǐ liángliang tǐwēn.
507. 我 给 你 量量 体温。
I'll take your temperature.

Wǒ liáng yīxiàr nǐ de xuèyā.
508. 我 量 一下儿 你 的 血压。
I'm going to take your blood pressure.

Wǒ gěi nǐ bǎba mài.
509. 我 给 你 把把脉。
I'd like to feel your pulse.

Nǐ yào qù zhào yī zhāng X-guāng piānzi.
510. 你 要 去 照 一 张 X光 片子。
You need to take an X-ray.

Nǐ bìxū yào yàn xiě.
511. 你 必须 要 验血。
You have to have your blood tested.

Wǒ yào qǔ diǎnr nǐ de niàoyàng.

512. 我 要 取 点儿 你 的 尿样。

I want a sample of your urine.

Wǒ gěi nǐ dǎ yī zhēn.

513. 我 给 你 打 一 针。

I'll give you an injection.

Wǒ shǒu mō nǐ zhège dìfang de shíhou, nǐ juéde

514. 我 手 摸 你 这个 地方 的 时候，你 觉得

zěnmeyàng?

怎么样?

What do you feel when I touch this spot?

Wǒ yào jìn zhēn le.

515. 我 要 进 针 了。

I'm going to insert a needle.

Fàngsōng diǎnr.

516. 放松 点儿。

Relax.

Nǐ xūyào lìjí dòng shǒushù.

517. 你 需要 立即 动 手术。

You need to have an operation immediately.

Wǒ xīwàng nǐ zuò yī gè quánmiàn jiǎnchá.
518. 我 希望 你 作 一个 全面 检查。
I want you to have a general checkup.

Dàifu, wǒ dé de shì shénme bìng?
519. 大夫，我 得 的 是 什么 病？
What's wrong with me, doctor?

Nǐ dé de shì liúgǎn.
520. 你 得 的 是 流感。
You have got influenza.

Nǐ hē jiǔ hē de tài duō le.
521. 你 喝 酒 喝 得 太 多 了。
You've been drinking too much.

Nǐ píláo guòdù, xūyào xiūxi.
522. 你 疲劳 过度，需要 休息。
You are over-tired. You need a rest.

Nǐ bìxū wòchuáng xiūxi yī gè xīngqī.
523. 你 必须 卧床 休息 一个 星期。
You must stay in bed for a week.

Zhè zhǒng bìng bù chuánrǎn.
524. 这 种 病 不 传染。
It is not infectious.

Bié dānxīn.

525. 别 担心。

It's nothing to worry about.

二、词语 New Words and Phrases

1. 躺	（动）	tǎng	to lie(down)
2. 张	（动）	zhāng	to open
3. 嘴	（名）	zuǐ	mouth
4. 深	（形）	shēn	deep; deeply
5. 呼吸	（动）	hūxī	to breathe
7. 卷	（动）	juǎn	to roll
8. 上衣	（名）	shàngyī	upper outer garment; jacket
9. 脱	（动）	tuō	to take off; to undress
10. 咳	（动）	ké	to cough
11. 量	（动）	liáng	to measure; to take（temperature）
12. 体温	（名）	tǐwēn	（body）temperature
13. 血压	（名）	xuèyā	blood pressure
14. 把	（动）	bǎ	to feel; to take(pulse)
15. 脉	（名）	mài	pulse
16. X光	（名）	X-guāng	X-ray

17.	片子	（名）	piānzi	film; photo
18.	验	（动）	yàn	to test
19.	血	（名）	xiě	blood
20.	尿样	（名）	niàoyàng	sample of urine
21.	打	（动）	dǎ	to give (injection)
22.	针	（名）	zhēn	injection; needle
23.	手	（名）	shǒu	hand
24.	摸	（动）	mō	to touch
25.	进	（动）	jìn	to insert
26.	放松	（形）	fàngsōng	relax
27.	立即	（副）	lìjí	immediately; at once
28.	动	（动）	dòng	to perform (an operation); to have (an operation)
29.	手术	（名）	shǒushù	operation
30.	全面	（形）	quánmiàn	all round; general
31.	检查	（名）	jiǎnchá	checkup; examination
32.	大夫	（名）	dàifu	doctor
33.	得	（动）	dé	to get
34.	病	（名）	bìng	illness; disease
35.	流感	（名）	liúgǎn	flu
36.	疲劳	（形）	píláo	tired
37.	过度	（形）	guòdù	over-; excessive
38.	卧床	（动）	wòchuáng	to lie in bed

39. 传染	（动）	chuánrǎn	to infect; infectious
40. 担心	（动）	dānxīn	to worry; to feel anxious

三、会话 Dialogues

（一）

Qǐng guòlai, zài zhèr tǎngxia.
A: 请 过来，在 这儿 躺下。
Come and lie down over here, please.

Zěnme tǎng?
B: 怎么 躺？
How?

Cháo shàng tǎng.
A: 朝 上 躺。
Lie down on your back.

Yào tuō yīfu ma?
B: 要 脱 衣服 吗？
Do I need to take off my clothes?

Qǐng bǎ shàngyī tuō le, wǒ yào tīngting nǐ de fèi.
A: 请 把 上衣 脱 了，我 要 听听 你 的 肺。
Undress down to the waist, please. I'll listen to your lungs.

Dàifu, wǒ …

A: 大夫，我 ……

Doctor, I …

Bié shuōhuà. Shēn hūxī.

B: 别 说话。深 呼吸。

Don't talk and breathe deeply.

Dàifu, wǒ dé de shì shénme bìng?

A: 大夫，我 得 的 是 什么 病?

Doctor, what's wrong with me?

Fèiyán. Nǐ yào xiān qù dǎzhēn.

B: 肺炎。你 要 先 去 打针。

Pneumonia. You have to take an injection first.

(二)

Huàyàn jiéguǒ nádào le ma?

A: 化验 结果 拿到 了 吗?

Have you got the test results?

Nádào le, zài zhèr.

B: 拿到 了，在 这儿。

Yes, I have. Here it is.

Nǐ déle lánwěiyán, xūyào mǎshàng shǒushù.
A: 你 得了 阑尾炎，需要 马上 手术。
You have got an appendicitis and you need to have an operation immediately.

Wǒ hěn hàipà.
B: 我 很 害怕。
I'm scared.

Fàngsōng diǎnr, bù huì hěn téng.
A: 放松 点儿，不 会 很 疼。
Relax, it will not be that painful.

Yào shūxiě ma?
B: 要 输血 吗？
Do I need to have blood transfusion?

Yào.
A: 要。
Yes.

Wǒ de xuèxíng hěn shǎojiàn.
B: 我 的 血型 很 少见。
My blood type is unusual.

Nǐ fàngxīn, wǒmen xuèkù li shénme xuèxíng dōu yǒu.
A:你 放心，我们 血库里 什么 血型 都 有。
Don't worry, we have all types of blood in our blood bank.

四、补充词语

Supplementary New Words and Phrases

1.	肺	（名）	fèi	lung
2.	肺炎	（名）	fèiyán	pneumonia
3.	结果	（名）	jiéguǒ	result; report
4.	阑尾炎	（名）	lánwěiyán	appendicitis
5.	输血	（动）	shūxiě	blood transfusion
6.	血型	（名）	xuèxíng	blood group; blood type
7.	少见	（形）	shǎojiàn	rare; unusual
8.	血库	（名）	xuèkù	blood bank
9.	包扎	（动）	bāozā	to bind up; to pack
10.	消毒	（动）	xiāodú	to disinfect; to sterilize
11.	麻醉	（名）	mázuì	anaesthesia; narcosis
12.	动脉	（名）	dòngmài	artery
13.	静脉	（名）	jìngmài	vein
14.	盲肠	（名）	mángcháng	caecum
15.	阑尾	（名）	lánwěi	appendix
16.	伤风	（动）	shāngfēng	catch cold

17. 消化	（名）	xiāohuà	digestion
18. 消化不良		xiāohuà bùliáng	indigestion
19. 中暑	（动）	zhòngshǔ	sunstroke
20. 抽筋	（名）	chōujīn	cramps
21. 溃疡	（名）	kuìyáng	ulcer
22. 胃炎	（名）	wèiyán	gastritis
23. 肝炎	（名）	gānyán	hepatitis
24. 肾炎	（名）	shènyán	nephritis
26. 癌症	（名）	áizhèng	cancer
27. 高血压	（名）	gāoxuèyā	high blood pressure
28. 低血压	（名）	dīxuèyā	low blood pressure
29. 性病	（名）	xìngbìng	venereal disease
30. 爱滋病	（名）	àizībìng	AIDS
31. 阴性	（形）	yīnxìng	negative
32. 阳性	（形）	yángxìng	positive
33. 氧气	（名）	yǎngqì	oxygen
34. 救护车	（名）	jiùhùchē	ambulance

五、练习 Exercises

1. 替换练习：Subsitition drills：

Qǐng bǎ shàngyī tuō le.
1) 请 把 <u>上衣</u> <u>脱了</u>。

zuǐ 嘴	zhāngkāi 张开
xiùzi 袖子	juǎn qilai 卷 起来
shétou 舌头	shēn chulai 伸 出来
gēbo 胳膊	tái qilai 抬 起来
yīfu 衣服	tuō xialai 脱 下来

Wǒ liáng yīxiàir nǐ de xuèyā.
2) 我 量 一下儿 你的 血压。

liáng	tǐwēn
量	体温
bǎ	mài
把	脉
tīng	fèi
听	肺
kàn	shétou
看	舌头
huàyàn	niào
化验	尿

Nǐ dé de shì lánwěiyán, xūyào mǎshàng shǒushù.
3) 你 得 的是 阑尾炎，需要 马上 手术。

gǎnmào	chī yào
感冒	吃 药
fèiyán	dǎ zhēn
肺炎	打 针
xīnzàngbìng	xiūxi
心脏病	休息
gānyán	quánmiàn jiǎnchá
肝炎	全面 检查

2. 口头回答问题：

Answer the following questions in oral：

Zěnme tǎng?

1) 怎么 躺？

Wǒ yòng shǒu mō nǐ zhège dìfang de shíhou, nǐ

2) 我 用 手 摸 你 这个 地方 的 时候，你

juéde zěnmeyàng?

觉得 怎么样？

Dàifu, wǒ dé de shì shénme bìng?

3) 大夫，我 得 的 是 什么 病？

Zhè zhǒng bìng chuánrǎn ma?

4) 这 种 病 传染 吗？

Nǐ hàipà dǎzhēn ma?

5) 你 害怕 打针 吗？

附录

公 费 医 疗

当中国的大门刚向世界打开的时候，许多西方人惊奇地在中国发现了一种他们做梦也没敢想像的社会保障制度——治病不花钱的公费医疗制度。他们羡慕地说，中国人好福气。

不过，他们也没有料到，中国的财政也正被这种大包大揽式的"包袱"压得透不过气来。

公费医疗制度是计划经济时期的一项社会福利制度，凡国家工作人员都可以享受免费医疗，病人所花费的一切医疗费用都由国家负担。

在低工资低消费的时代，公费医疗解决了工作人员的后顾之忧，可这种"大锅饭"式的福利制度存在着许多弊端：中国人一向不怎么注意锻炼身体，公费医疗制度更使他们放心地丢弃锻炼。对他们而言，在西方成为习惯的"花钱买健康"观念对他们来说是不可想像的；大部分缺乏自律的中国人在自己亲友的医疗费单据上填上自己的名字，把负担转嫁给国家；不少人因住院不花钱就小病大养，在逃避工作的同时照常领取工资；医生拿昂贵药物馈赠亲友上级，真正的病人却往往得不到精心治疗……

公费医疗弊端太多，中国政府开始着手改革，自80年代末，一系列的削减开支的计划纷纷出台，病人开始负担部分医疗费用。随着医疗保险制度的逐步完善，人们经济收入的提高，公费医疗的问题正在逐步得到解决。

Free Medical Service

When China opened its gate to the world, many Westerners surprisedly found a designed social security system which they never dreamed——a system which offered free medical care. They said .with envy that the Chinese were lucky. But, they never expected that this undertaking-the-whole-thing system would become a heavy burden on Chinese finance.

The system of free medical care is a social welfare system designed in the period of planned economy. Government employees can enjoy free medical treatment. All the costs of the medical treatment are born by the government.

In the days of low salary and low consumption, free medical care has relieved the employees from anxiety. But the undertaking-the-whole-thing welfare system has a lot of disadvantages: The Chinese usually do not pay much attention to physical training. They feel at ease to give up physical training due to the system of free medical care. To them, it is hard to imagine that Westerners are accustomed to "spending money on their health." Some people who do not follow the regulations, reimburse the cost of their medical treatment with their relatives' receipts and shift the burden to the government. More than a few people have been hospitalized without serious illness just because they did not have to spend money on it, and they then get their pay as usual while avoiding work. Doctors prescribe expensive medicine to their relatives and seniors. More often than not, those who are really seriously ill are not carefully treated.

There are too many disadvantages about free medical care. The Chinese government has already began to make reforms. Since the end of the 80's, a series of plans to cut down expenditures have appeared. The patients have begun to bear part of the cost of the medical treatment. The medical security system is being perfected and people's income is on the rise, the problem caused by free medical care is gradually being solved.

(translated by Wang Xinjie)

西　安

西安是我国六大古都之一。

早在三千年前，周朝就在西安附近建都，取名丰镐；秦朝也把都城建在附近，名为咸阳；农民出身的汉朝皇帝刘邦定都于此，取名长安（意为永远平安）；八百年后，唐朝再次把这里定为首都。

皇帝们看中这块风水宝地，是因为这里山环水抱，土地平旷，气候宜人；从军事角度讲，这里易守难攻，物产丰富；而从居住方面看，这里人口众多，风景优美，贸易方便。

唐长安城布局合理，建筑优美，但却遭到内战的洗劫，唐朝末年已荡然无存。14世纪中期，明朝把这里改称为西安（意为安定西部）。

西安是中国文化最悠久、建都时间最长的古都，文化古迹特别多。原始社会半坡人就生活在这里，半坡博物馆向世人叙述着这段久远的历史；1974年在临潼县西杨村发现的秦始皇兵马俑，更被人们誉为"世界第八大奇迹"，是世界上独一无二的古代文化艺术宝库；大雁塔位于西安城南，是唐长安遗留下的最重要的建筑；西安碑林有许多著名书法家的真迹，是一座石体文化宝库；钟楼和鼓楼仿佛在向人们述说着古城西安那遥远的历史；新建的兴庆公园又向人们展现着西安的园林风光之美。

西安作为一个历史名城，每年都吸引着无数的来自世界各地的游客前往观光。

Xi'an

Xi'an is one of the six most famous ancient capitals in China's history.

As long as 3,000 years ago, the Zhou Dynasty set up the capital just near Xi'an, called Fenghao. The Qin Dynasty also set up its capital nearby, called Xianyang. Liubang, the emperor of the Han Dynasty, who was born out of a peasant's family, chose to place his capital there too, and renamed the city as Chang'an (meaning stabilize forever). 800 years later, the Tang Dynasty once again chose this site for its capital.

The emperors all valued this rich land, because it is surrounded with hills and rivers, with extended open country and a pleasant climate. In view of the military, it is a place easy to protect, but difficult to attack. It is rich in products. In view of inhabitancy, it is largely populated, with beautiful landscape and convenient trading.

Chang'an city of the Tang Dynasty had a reasonable layout and beautiful buildings, but it was ruined by Civil War. So by the end of the Tang Dynasty, this prosperity was all gone. In the mid-11th century, the Ming Dynasty called it Xi'an (meaning stabilize the west).

Xi'an was China's ancient capital for the longest time. It has many cultural and historical sites. The Banpo people, a primitive Chinese tribe, used to live there. The Banpo Museum tells people about their history. The Qin Shihuang's terracotta soldiers and horses, discovered at the Xiyang Village of Lintong County in 1974, is called "the eighth wonder of the world." It is the unique artistic treasure-house of the ancient culture of the world. Dayan Pagoda is situated in South Xi'an, which is the most important building that Chang'an of the Tang Dynasty has left over. The Forest of Steles in Xi'an has many authentic works of many famous calligraphers, which is a treasure-house of stone-style culture. The Bell Tower and Drum Tower seem to tell people the remote history of ancient Xi'an . The newly built Xingqing Park exhibits the beauty of the Xi'an garden.

Xi'an , as a famous historic city, attracts innumerable tourists every year who come from all over the world to pay a visit here.

(translated by Luo Hongbin)

Dì-èrshí kè   Zài yīyuàn（xià）
第二十课   在   医院 （下）
Lesson 20   At the Hospital（Ⅲ）

一、句子 Sentences

Wǒ xiǎng qǐng nín gěi wǒ kāi diǎnr yào.
526. 我 想 请 您给我 开点儿药。
I'd like you to prescribe me some medicine.

Nǐ yuànyì dǎzhēn háishi yuànyì chīyào?
527. 你 愿意 打针 还是 愿意 吃药?
Do you want to take injections or pills?

Nǐ xǐhuan chī zhōngyào háishi xīyào?
528. 你 喜欢 吃 中药 还是 西药?
Do you perfer to take the traditional Chinese medicine or the
Western medicine?

Wǒ bù yuànyì dǎzhēn.

529. 我 不 愿意 打针。

I don't want to have any injections.

Wǒ hàipà chī zhōngyào.

530. 我 害怕 吃 中药。

I'm afraid of taking the traditional Chinese medicine.

Wǒ duì qīngméisù guòmǐn.

531. 我 对 青霉素 过敏。

I'm allergic to penicillin.

Nǐ yǐqián fúyòngguo shénme yào?

532. 你 以前 服用过 什么 药?

What medicine have you been taking?

Yǒu méiyǒu ràng nǐ guòmǐn de yào?

533. 有 没有 让 你 过敏 的 药?

Are ther any drugs which make you allergic?

Wǒ gěi nǐ kāi yīdiǎnr yàowán.

534. 我 给 你 开 一点儿 药丸。

I'll prescribe you some pills.

Zhè shì shénme yào?

535. 这 是 什么 药?

What kind of medicine is this?

Zhè yào měi tiān chī jǐ cì?
536. 这 药 每 天 吃 几 次？
How many times a day should I take it?

Měi tiān chī duōshao?
537. 每 天 吃 多少？
How many a day?

Zhǐ néng tūnfú ma?
538. 只 能 吞 服 吗？
Should I swallow them only?

Měi tiān sān cì.
539. 每 天 三 次。
Three times a day.

Měi cì liǎng piàn.
540. 每 次 两 片。
Two tablets each time.

Měi sì xiǎoshí fú yī lì.
541. 每 四 小 时 服 一 粒。
Take one pill every four hours.

Wēnshuǐ sòngfú.
542. 温水 送服。
Take it with a glass of boiled warm water.

Fàn qián bàn xiǎoshí fúyòng.

543. 饭前半小时服用。

Take the medicine half hour before each meal.

Fàn hòu fúyòng.

544. 饭后服用。

Take it after a meal.

Měi tiān zhùshè liǎng cì.

545. 每天注射两次。

Two injections a day.

Zài nǎr qǔ yào?

546. 在哪儿取药?

Where can I get my medicine?

Zài lóu xià de yàofáng.

547. 在楼下的药房。

At the pharmacy downstairs.

Zhè zhǒng yào zài yàodiàn néng mǎidào ma?

548. 这种药在药店能买到吗?

Can I get this medicine at any drugstore?

Yào ànshí chīyào.

549. 要按时吃药。

Take your medicine on time.

Yī gè yuè zhīhòu zài lái fùchá.
550.一个月之后再来复查。

Come back for a check-up in a month.

二、词语 New Words and Phrases

1.	开	（动）	kāi	to prescribe
2.	药	（名）	yào	medicine
3.	愿意	（助动）	yuànyì	to be willing
4.	中药	（名）	zhōngyào	traditional Chinese medicine
5.	西药	（名）	xīyào	Western medicine
6.	害怕	（形）	hàipà	to be afraid of; to be scared
7.	对	（介）	duì	to
8.	青霉素	（名）	qīngméisù	penicillin
9.	过敏	（形）	guòmǐn	allergy; allergic
10.	服用	（动）	fúyòng	to take（medicine）
11.	药丸	（名）	yàowán	pill; bolus
12.	吞服	（动）	tūnfú	to swallow
13.	片	（量）	piàn	tablet
14.	粒	（量）	lì	pill
15.	服	（动）	fú	to take（medicine）
16.	温水	（名）	wēnshuǐ	warm water; boiled warm water

· 387 ·

17. 注射	(动)	zhùshè	to inject; injection
18. 药房	(名)	yàofáng	hospital pharmacy
19. 药店	(名)	yàodiàn	drugstore; chemist's shop
20. 按时	(副)	ànshí	on time
21. 复查	(动)	fùchá	to check; to reexamine

三、会话 Dialogues

(一)

Dàifu, wǒ de sǎngzi zěnmeyàng le?

A: 大夫,我的嗓子 怎么样 了?

Doctor, what had happened to my throat?

Bù yàojǐn, nǐ chōuyān chōu de tài lìhai le. Wǒ gěi nǐ

B: 不要紧,你抽烟 抽 得太厉害了。我给你

kāi diǎnr yào.

开点儿药。

There's nothing serious, but you smoke too much. I'll prescripe you some medicine.

Zhùshè háishi kǒufú?

A: 注射 还是 口服?

Injections or pills?

Dōu yǒu.

B: 都 有。

Both.

Dàifu, wǒ bù yuàn dǎzhēn.

A: 大夫, 我 不 愿 打针。

Doctor, I don't want to have injections.

Bù dǎzhēn hǎo de màn. Nǐ bìxū dǎzhēn.

B: 不 打针 好 得 慢。你 必须 打针。

You'll get well slow without injection. You have to have the injections.

Wǒ zuìjìn lǎo shuì bù hǎo, nín néng bù néng gěi wǒ kāi

A: 我 最近 老 睡 不 好, 您 能 不 能 给 我 开

diǎnr ānmiányào?

点儿 安眠药?

I can't sleep well recently. Can you prescripe me some sleeping pills?

Xíng, dàn qiānwàn bié chī tài duō.

B: 行, 但 千万 别 吃 太 多。

OK., but don't take too many.

(二)

Zhèxiē yào zěnme gè chīfǎ?
A: 这些 药 怎么 个 吃法？

How should I take the medicine?

Dà yàopiàn měi tiān chī sān cì, měi cì chī yī piàn.
B: 大 药片 每 天 吃 三 次, 每 次 吃 一 片。

Take the big tablets three times a day, one tablet each time.

Xiǎo piàn ne?
A: 小 片 呢？

What about the small one?

Xiǎo piàn měi tiān chī sān cì, měi cì gè liǎng piàn.
B: 小 片 每 天 吃 三 次, 每 次 各 两 片。

Take the small tablets three times a day and two tablets each time.

Yàoshuǐ ne?
A: 药水 呢？

What about the liquid medicine?

Yàoshuǐ měi tiān hē liǎng cì, měi cì yī cháchí.
B: 药水 每 天 喝 两 次, 每 次 一 茶匙。

Take one teaspoon of the liquid twice a day.

Zhèxiē yàowán ne?

A: 这些 药丸 呢？

And what about these boluses?

Měi wǎn shuì qián fú yī wán.

B: 每 晚 睡 前 服 一 丸。

Take one bolus every night before sleep.

Zěnme chī?

A: 怎么 吃？

How?

Yòng wēnkāishuǐ tūnfú.

B: 用 温开水 吞服。

Swallow it with a glass of boiled warm water.

Xièxie nín, dàifu.

A: 谢谢 您，大夫。

Thank you, doctor.

四、补充词语
Supplementary New Words and Phrases

1. 抽　　　（动）　chōu　　　to smoke

2. 烟　　　（名）　yān　　　cigarette

3. 口服	（动）	kǒufú	to take orally
4. 安眠药	（名）	ānmiányào	sleeping pill
5. 药片	（名）	yàopiàn	tablet
6. 药水	（名）	yàoshuǐ	liquid medicine
7. 茶匙	（名）	cháchí	teaspoon
8. 丸	（量）	wán	pill
9. 维生素	（名）	wéishēngsù	vitamin
10. 阿司匹林	（名）	āsīpǐlín	aspirin
11. 抗菌素	（名）	kàngjūnsù	antibiotics
12. 止咳糖浆	（名）	zhǐké tángjiāng	cough syrup
13. 眼药水	（名）	yǎnyàoshuǐ	eye drops
14. 碘酒	（名）	diǎnjiǔ	iodine
15. 绷带	（名）	bēngdài	bandage
16. 创可贴	（名）	chuāngkětiē	Band-Aids
17. 含片	（名）	hánpiàn	throat lozenges
18. 体温表	（名）	tǐwēnbiǎo	thermometer

五、练习 Exercises

1. 替换练习：Subsititution drills：

Nǐ yuànyì dǎzhēn háishi yuànyì chīyào?
1) 你 愿意 打针 还是 愿意 吃药？

chī zhōngyào 吃 中药	chī xīyào 吃 西药
hē yàoshuǐ 喝 药水	chī yàowán 吃 药丸
kǒufú 口服	zhùshè 注射
hē rèchá 喝 热茶	hē lěngyǐn 喝 冷饮
zǒuzhe qù 走着 去	zuò gōnggòng qìchē qù 坐 公共 汽车 去

Yī gè yuè zhīhòu zài lái fùchá.
2) 一 个 月 之后 再 来 复查。

yī gè xīngqī 一 个 星期	jiǎnchá 检查
bàn gè yuè 半 个 月	yàn xiě 验 血
yī gè xiǎoshí 一 个 小时	ná huàyàn jiéguǒ 拿 化验 结果
bàn nián 半 年	shǒushù 手术

Zhè zhǒng yào zài yàodiàn néng mǎidào ma?
3) 这 种 药 在 药店 能 买到 吗?

shū 书	shūdiàn 书店	mǎi 买
yīfu 衣服	shāngdiàn 商店	zhǎo 找
cài 菜	cāntīng 餐厅	chī 吃
piào 票	chēzhàn 车站	mǎi 买

2. 口头回答问题：

Answer the following questions in oral：

Zhè shì shénme yào?
1) 这 是 什么 药?

Zhè zhǒng yào zěnme chī?
2) 这 种 药 怎么 吃?

Shénme shíhou chī?
3) 什么 时候 吃?

Nǐ yǐqián fúyòngguo shénme yào?
4) 你 以前 服用过 什么 药?

Yǒu méiyǒu ràng nǐ guòmǐn de yào?
5) 有 没有 让 你 过敏 的 药?

附录

中　国　体　育

　　19世纪60年代，近代体育开始传入中国。在中国，"体育"一词有两个含义，狭义的指身体教育，广义的指体育运动，包括身体教育、竞技运动和身体锻炼三个方面的内容。

　　对身体教育，中国政府十分重视，把它列入全国教学大纲之内，使它成为全国大中小学校的必修课程之一。

　　中国从1932年开始参加奥林匹克运动会。1979年10月，国际奥委会确认中华人民共和国奥林匹克委员会为中国全国性奥委会。在竞技体育方面，中国运动员取得了许多成就：

　　中国的乒乓球是公认的世界强国。金牌几乎被中国人包揽。

　　中国的体操、跳水在世界上名列前茅。

　　中国的排球曾经所向披靡，女排取得过五连冠的好成绩。

　　……

　　近年来，中国政府对体育运动给予了更多的关注，人们对体育的兴趣也有所提高，普通老百姓对体育锻炼的重要性认识得越来越清楚。

Chinese Physical Culture

In the 1860's, modern physical culture began to be passed on into China. In China, the word "physical culture" has two implied meanings: physical education in the narrow sense and physical sports in the broad sense. It includes physical education (PE), physical sports, and physical training.

The Chinese government has attached great importance to physical education and has written it in the national syllabus and has made it one of the required courses for college students, middle school students, and pupils of primary schools.

Since 1932, China has taken part in the Olympic Games. In October, 1979, the International Olympic Committee affirmed that the Olympic Committee of the People's Republic of China be a national Olympic committee. In athletics, Chinese athletes have made many achievements.

The Chinese Table Tennis Team is regarded as the strongest in the world. Almost all the gold medals have been won by the Chinese.

Chinese gymnastics and diving are among the best.

The Chinese Women's Volleyball Team used to beat all the rivals and has been the champion five times in succession.

In recent years, the Chinese government has paid much attention to sports. People's interest in physical culture is on the rise. Ordinary people are beginning to realize the great importance of physical training.

(translated by Wang Xinjie)

长 江 三 峡

长江三峡是瞿塘峡、巫峡、西陵峡的总称，西起四川奉节，东至湖北宜昌，全长192公里。

长江三峡是著名的旅游风景区。三峡之美在于山峰雄伟，河滩险恶，山洞奇妙，山沟幽静。在喜爱吟诗做画的中国文人看来，这里没有一处不可成诗，没有一处不可入画。美丽的自然风景吸引着文人墨客，三峡的美名也就不胫而走。

三峡不仅自然景色异常优美，而且拥有许多名胜古迹，如商朝旧址、秦时栈道、蜀汉故城、昭君故里分列两岸，加上白帝庙、诸葛亮八阵图等，游人如同走进了中国的历史长河，在欣赏自然美景的同时还可追忆先贤风范，确实是一种极美的享受。

三峡有许多美丽的传说，其中神女峰的传说最为动人。瑶姬是天上神女之主西王母的女儿，同情凡人的苦难，当时大禹正在领导人们劈山疏水，瑶姬率众神女帮助他们把大山劈开形成三峡。神女为了保障航道畅通，于是冒着被天神处罚的危险长留人间。许多年过去了，仙女们化为石峰，神女峰就是那位造福人间的瑶姬变成的。

现在，由于要修建三峡巨型水电站，三峡的险奇将部分成为历史，人们更加急切地前往三峡游览了。

The Three Gorges of Changjiang River

The Three Gorges the of Changjiang River are Qutang Gorge, Wu Gorge and Xiling Gorge. Starting from Fengjie in the eastern Sichuan Province and reaching Yichang in the western Hubei Province, it stretches a total length of 192 kilometers.

The Three Gorges are a famous scenic spot for tourists. The beauty of this scenic spot lies in the magnificent mountain peaks, perilous river lands, wonderful caves and peaceful and secluded gullies. In the eyes of the Chinese scholars who are fond of chanting poems and painting, every piece of land here is a poem and a drawing. The beautiful natural sight attracts scholars and painters and the good name of the Three Gorges travels far and wide.

The Three Gorges not only have extraordinary beauty, but also a variety of famous scenic spots and ancient relics, such as: the former site of the Shang Dynasty, the plank road of the Qin Dynasty, the ancient city of Shu Kindom, and the hometown of Wang Zhaojun at two banks, as well as the Baidi Temple, and Zhuge Liang's maze (Bazhentu), etc.. Tourists seem to have walked into a long historical river of China, enjoying the beautiful natural scenery as well as recalling the deeds of our forefathers, which is really an enjoyment.

There are many beautiful legends about the Three Gorges, among which the Goddess Peak is the most touching. It is said that Yao Ji was the daughter of Xi Wangmu, the queen of goddesses. Yao Ji sympathized for the common people. At that time, king Da Yu was leading his people to open up mountains and dredge waterways. Yao Ji led the goddesses to help them open up the big mountain, thus, the Three Gorges was formed. To secure the opening of this waterway, these goddesses ran the risk of being punished by walking the earth forever by Xi Wangmu. Many years passed and these goddesses all became stone peaks. The Goddess Peak is the formation of Yao Ji who brought benefit to the people on earth.

Nowadays, a giant hydropower station of the Three Gorges is being set up, parts of the precipitous and grotesque scenery will become history. People now become more eager to travel there.

(translated by Luo Hongbin)

Dì-èrshíyī kè   Zuò chūzū qìchē

第二十一 课   坐 出租 汽车

Lesson 21   Taking a Taxi

一、句子 Sentences

Nǎr néng jiàodào chūzū qìchē?

551. 哪儿 能 叫到 出租 汽车？

Where can I get a taxi?

Qǐng bāng wǒ jiào yī liàng chūzū qìchē.

552. 请 帮 我 叫 一 辆 出租汽车。

Help me to get a taxi，please.

Shénme dìfang néng zū qìchē?

553. 什么 地方 能 租汽车？

Where can I rent a car?

Zhè tiáo jiē shàng zhǎo bù dào chūzū chē.

554. 这 条 街 上 找 不 到 出租车。

You can't get a taxi in this street.

Qù huǒchē zhàn ma?
555. 去 火车 站 吗?
Will you take me to the railway station?

Qǐng shàngchē ba.
556. 请 上车 吧。
Get in, please.

Qǐng bǎ xínglixiāng dǎkāi.
557. 请 把 行李箱 打开。
Open the trunk, please.

Nǐ zhīdao zhège dìfang ma?
558. 你 知道 这个 地方 吗?
Do you know this place?

Nǐ zhīdao zěnme qù zhège dìfang ma?
559. 你 知道 怎么 去 这个 地方 吗?
Do you know how to get there?

Qù Zhōngshān Dàxué duōshao qián?
560. 去 中山 大学 多少 钱?
What's the fare to Zhongshan University?

Dào Huángpǔ Gǎng de chēfèi shì duōshao?
561. 到 黄浦港 的 车费 是 多少?
What's the fare to Huangpu harbour?

Chēfèi zěnme suàn?

562. 车费 怎么 算?

How do you charge for fare?

Dào Měiguó Dàshǐguǎn yào duō cháng shíjiān?

563. 到 美国 大使馆 要 多 长 时间?

How long does it take to get to the American embassy?

Sòng wǒ qù dìzhǐ shàng xiě de zhège dìfang.

564. 送 我 去 地址 上 写 的 这个 地方。

Take me to this address.

Huí bīnguǎn.

565. 回 宾馆。

Back to the hotel, please.

Wǒmen yǒu jí shì.

566. 我们 有 急事。

We have an urgent matter.

Wǒ hěn zháojí.

567. 我 很 着急。

I'm in a hurry.

Nǐ děi jǐ diǎnzhōng gǎndào nàr?

568. 你 得 几 点钟 赶到 那儿?

What time do you have to get there?

Jiǔ diǎnzhōng yǐqián néng gǎndào ma?

569. 九 点钟 以前 能 赶到 吗?

Can we get there before nine o'clock?

Bié dānxīn, shíjiān lái de jí.

570. 别 担心，时间 来 得 及。

Don't worry. We have enough time to get there.

Zhèr lí jīchǎng hái yǒu duō yuǎn?

571. 这儿 离 机场 还 有 多 远?

How far is it to the airport from here?

Qǐng nǐ kāi kuài diǎnr.

572. 请 你 开 快 点儿。

Could you drive faster, please?

Nǐ néng děng wǒ ma?

573. 你 能 等 我 吗?

Can you wait for me?

Wǒ zhǎo bù bāi zhè zhāng chāopiào.

574. 我 找 不 开 这 张 钞票。

I can't change this banknote.

Nǐ de jìchéngbiǎo yǒu wèntí.

575. 你的 计程表 有 问题。

There's something wrong with your taximeter.

二、词语 New Words and Phrases

1.	出租	（动）	chūzū	to hire；to rent
2.	出租汽车	（名）	chūzū qìchē	taxi
3.	行李箱	（名）	xínglixiāng	trunk
4.	中山大学	（专）	Zhōngshān Dàxué	Zhongshan University
5.	黄浦港	（专）	Huángpǔ Gǎng	Huangpu harbour
6.	车费	（名）	chēfèi	fare
7.	算	（动）	suàn	to reckon；to calculate
8.	大使馆	（名）	dàshǐguǎn	embassy
9.	送	（动）	sòng	to take(sb.to someplace)；to drive sb.to someplace
10.	急事		jí shì	urgent matter
11.	着急	（形）	zháojí	worry；feel anxious
12.	赶	（动）	gǎn	rush for
13.	来得及	（动）	lái de jí	there's still time；be able to do sth.in time；be able to make it
14.	离	（介）	lí	from；off；away
15.	机场	（名）	jīchǎng	airport
16.	还	（副）	hái	still；yet

17. 开	(动)	kāi	to drive
18. 快	(形)	kuài	fast
19. 等	(动)	děng	to wait
20. 找	(动)	zhǎo	to give change
21. 钞票	(名)	chāopiào	bank note; paper money
22. 计程表	(名)	jìchéngbiǎo	taximeter
23. 问题	(名)	wèntí	trouble; mishap; problem; something wrong

三、会话 Dialogues

(一)

Chūzūchē!
A: 出租车!
Taxi!

Qǐng shàngchē ba!
B: 请 上车 吧!
Get in, please.

Wǒ de xíngli tài dà le, qǐng bǎ xínglixiāng dǎkāi.
A: 我 的 行李 太 大 了,请 把 行李箱 打开。
My baggage is too big. Open the trunk, please.

Wǒ bāng nǐ fàng jìnqu.

B: 我 帮 你 放 进去。

Let me help you to put them in the trunk.

Xièxie!

A: 谢谢!

Thank you!

Nǐ qù nǎr?

B: 你 去 哪儿?

Where do you want to go?

Qù zhǐtiáor shàng xiězhe de zhège dìfang. Nǐ zhīdao

A: 去 纸条儿 上 写着 的 这个 地方。 你 知道

zěnme qù ma?

怎么 去 吗?

I want to go to the address on the note. Do you know how to get there?

Dāngrán zhīdao.

B: 当然 知道。

Of course I know.

Nàge dìfang lí zhèr yuǎn ma?

A: 那个 地方 离 这儿 远 吗?

Is that place far from here?

Bù tài yuǎn, shí gōnglǐ zuǒyòu.
B: 不 太 远，10 公里 左右。

Not very far. It's about ten kilometres away from here.

Wǒ hái yào huílai, nǐ néng děng wǒ ma?
A: 我 还 要 回来，你 能 等 我 吗？

I'll come back, can you wait for me?

Méi wèntí.
B: 没 问题。

No problem.

(二)

Sījī, néng bù néng kāi kuài diǎnr?
A: 司机，能 不 能 开 快 点儿？

Driver, can you drive a little faster?

Lù shàng chē tài duō le, kāi tài kuàile róngyi chūshìr.
B: 路 上 车 太 多 了，开 太 快 了 容易 出事儿。

There are too many cars on the road. It will be easy to have an accident if we drive too fast.

Wǒ hěn zháojí.
A: 我 很 着急。

I'm in a hurry.

Nǐ yào jǐ diǎn yǐqián dào jīchǎng?
B: 你 要 几 点 以前 到 机场？

What time do you have to get the airport?

Wǒ yào gǎn shí'èr diǎn qù Kāifēng de fēijī, wǒ děi shíyī
A: 我 要 赶 12 点 去 开封 的 飞机，我 得 11
diǎn bàn yǐqián dào jīchǎng.
点 半 以前 到 机场。

I want to catch the flight to Kaifeng at twelve o'clock, and I have
to get the airport before eleven thirty.

Jīchǎng lí zhèr zhǐyǒu bā gōnglǐ le.
B: 机场 离 这儿 只有 8 公里 了。

The airport is just eight kilometres away from here.

Néng bù néng chāo jìndào?
A: 能 不 能 抄 近道？

Can we take a shortcut?

Zhèr méi yǒu jìndào. Nǐ fàngxīn, wǒmen lái de jí.
B: 这儿 没 有 近道。你 放心，我们 来得及。

There is no shortcut here. But don't worry. I think we can
make it.

四、补充词语
Supplementary New Words and Phrases

1.	出租车	(名)	chūzūchē	taxi
2.	纸条儿	(名)	zhǐtiáor	a slip of paper
3.	司机	(名)	sījī	driver
4.	出事儿	(动)	chūshìr	to have an accident
5.	抄	(动)	chāo	to take(shortcut)
6.	近道	(名)	jìndào	shortcut
7.	剧场	(名)	jùchǎng	theatre
8.	电影院	(名)	diànyǐngyuàn	movie theatre
9.	领事馆	(名)	lǐngshìguǎn	consulate
10.	婚礼	(名)	hūnlǐ	wedding ceremony
11.	宴会	(名)	yànhuì	banquet
12.	演出	(名)	yǎnchū	performance; show
13.	晚会	(名)	wǎnhuì	evening party
14.	打的	(动)	dǎdí	to take a taxi
15.	的士	(名)	díshì	taxi
16.	骗	(动)	piàn	to cheat

五、练习 Exercises

1. 替换练习：Subsititution drills：

Nǐ zhīdao zěnme qù zhège dìfang ma?

1) 你 知道 怎么 去 这个 地方 吗？

Yǒuyì Shāngdiàn
友谊　商店
Měiguó Dàshǐguǎn
美国　大使馆
Zhōngshān Dàxué
中山　大学
Yīngguó Lǐngshìguǎn
英国　领事馆
zhǐtiáor shàng xiě de zhège dìfang
纸条儿 上　写 的 这个 地方

Wǒ děi shí'èr diǎn bàn yǐqián dào jīchǎng.

2) 我 得 十二点半 以前 到 机场。

shàngwǔ shí diǎn	gōngsī
上午 十点	公司
wǎnshang qī diǎn bàn	jùchǎng
晚上 七点半	剧场
zǎoshang bā diǎn	xuéxiào
早上 八点	学校
yóujú xià bān	yóujú
邮局下班	邮局

Wǒ hěn zháojí.

3) 我 很 着急。

dānxīn

担心

jǐnzhāng

紧张

bù fàngxīn

不 放心

bù shūfu

不 舒服

2. 用所给词语造句：

Make sentences with the given words：

kāi, kuài   Qǐng nǐ kāi kuài diǎnr.

例：开，快 → 请 你 开 快 点 儿。

kāi   màn

1) 开， 慢

zǒu   jìn

2) 走， 近

shuō   qīngchu

3) 说， 清楚

xiě   dà

4) 写， 大

zhàn   gāo

5) 站， 高

3. 口头回答问题：

Answer the following questions in oral：

Nǎr néng jiàodào chūzūchē?
1) 哪儿 能 叫到 出租车？

Zhèr lí jīchǎng hái yǒu duō yuǎn?
2) 这儿 离 机场 还 有 多 远？

Dào Rìběn Lǐngshìguǎn yào duō cháng shíjiān?
3) 到 日本 领事馆 要多 长 时间？

Nǐ néng děng wǒ ma?
4) 你 能 等 我 吗？

Chēfèi zěnme suàn?
5) 车费 怎么 算？

中国城市交通

在改革开放之前（70 年代），中国城市交通不存在多少问题，交通事故也不常发生，因为那时车辆很少，行人也都慢悠悠的，见不到多少急着赶路的人。

改革开放以后，特别是进入 90 年代，生活的节奏明显地加快起来。车辆多了许多，行人急了许多，为原先的生活节奏设计的公路变得拥挤不堪，城市交通成了不得不解决的大问题，因为它已成为阻碍经济发展的主要原因之一。

"要想富，先修路"，广东的经验被推广，各大城市纷纷拓宽马路。然而还是不行，路上还是拥挤，即便设置了人车隔离护栏，车辆行人还是有"走不动"的感觉，于是在中国的大城市里，中国交通开始了"上天入地"的时期，立交桥、高架公路在北京、广州等地纷纷出现，北京地铁投入运行不久，上海和广州的地铁便热火朝天地修了起来。

公路的问题还正在努力解决，铁路的问题也马上来了：铁路运输速度慢、运能低，成为制约经济发展的"瓶颈"。经过了长期的艰苦劳动之后，又一条贯穿中国南北的运输大动脉——京九铁路投入使用，同时京广铁路提速成功。

在航空方面，随着经济的发展和生活的提高，民航业得到迅速发展，新的航线、新的航班、新型客机迅速增加。

中国交通虽然还未能完全达到畅流如水的境地，但明显地进步了许多。

Traffic in Chinese Cities

Before the reform and opening-up to the outside world (in the 70's), traffic in cities of China didn't present a big problem and there were not many traffic accidents, for in those years, traffic was not heavy and pedestrians were usually in no hurry.

After the reform and the opening-up to the outside world, especially in the 90's, the tempo of life has apparently become fast. Vehicles have increased in number and pedestrians seem to be less at leisure. The highways that had been designed in conformity with the old tempo of life now became crowded. Traffic in cities posed a problem that had to be solved because it had become one of the main obstacles to the development of the economy.

Prosperity is impossible without constructing roads first. This is Guangdong's experience, which other cities followed by widening their highways. Widened as they were, however, highways were still crowded. Then fences to separate traffic and pedestrians were constructed. But it did not help much in relieving the "jams" of both vehicles and pedestrians. Later, traffic in big cities of China began an era of "rising up to the sky and going down into the ground." Intersections and flyovers have appeared one after another in Beijing and

Guangzhou. Soon after the metro in Beijing was put into operation, metro construction in Shanghai and Guangzhou was well on the way, too.

Highway problems are being solved while railway problems crop up. As it is slow and ineffective, railway transportation has become the "bottleneck" that hinders the nation's economic development. After long years of hard work, another transportation artery running from south to north —— the Beijing and Kawloon Line was open to traffic and then the speeding up of the Beijing – Guangzhou railway line succeeded.

What about airplanes? With the development of the economy and improvement of life, civil airline services have developed rapidly and there have been increasingly more new airlines and new model airliners.

Traffic in China has obviously made headway though it does not flow yet as freely as people want it to.

开　封

张择端的《清明上河图》是中国绘画艺术中的珍品，它的画面，真实地反映了宋朝都城汴梁（今开封）的繁华景象。

开封位于河南省东部黄河南岸大平原上，古时称为大梁，又名汴梁，是个七朝古都。战国时期的魏，五代时期的后梁、后晋、后汉、后周以及北宋和金朝都把它作为自己的都城。加上还有其他几个皇帝也曾一度定都开封，所以它又有"十朝都会"之称。

开封地势平坦，附近沼泽湖泊众多，气候温和，植物茂盛。北宋时，由于水陆交通十分便利，又是国都所在地，故一度十分繁华。但从金朝灭宋之后，开封便开始衰落下去。明朝官吏为了抵挡李自成起义军曾掘黄河淹开封，至清朝时，黄河已六次入侵开封，其它40余次黄河改道也对开封周围造成极大危害，从而使它成为一个低洼的盆地。

作为数朝古都，开封有许多人文景观。龙亭是宋朝皇帝办公的地方，铁塔是宋时开宝寺的文物，相国寺位于开封中心，是宋朝最大的寺院，禹王台是人们祭祀先贤的地方。开封的旅游业也因这些名胜古迹的存在而兴旺发达。

Kaifeng

Zhang Zeduan's "Qingming Shanghe Tu," a drawing depicting the bustling sight in Kaifeng, is a treasure product among China's arts of drawings. Its appearance reflects the prosperous panorama of the capital Bianliang in the Song Dynasty.

Kaifeng lies is the vast plain of the southern bank of the Yellow River in east Henan Province. It was called Daliang or Bianliang in ancient times. It is an ancient capital of seven dynasties. In the Wei of the Warring States (475 – 221 BC), and in the Later Liang, Later Jin, Later Han, Later Zhou Dynasty of the Five Dynasties (907 – 960), the Northern Song and Jin Dynasty, this city was chosen for all their capitals. Some other emperors even chose Kaifeng for their capital in history, so it is also called "the capital of ten dynasties."

The terrain in Kaifeng is broad and level, with many swamp lakes around, a mild climate and exuberant plants. In the Northern Song Dynasty, it was very prosperous for a period of time, owing to the convenience of both land and water transportation, this site being a capital as well. But after the Jin Dynasty defeated the Song Dynasty, Kaifeng began to decline. The government officials of the Ming Dynasty dug the Yellow River to drown Kaifeng in order to resist the Uprising by Li Zicheng. Up to the Qing Dynasty, the Yellow River drowned Kaifeng six times. Another 40 times, the waterway of the Yellow River was changed, which also greatly threatened the surroundings of Kaifeng. As a result, it became a low basin.

As an ancient capital for several dynasties, Kaifeng has many human landscapes. Longting (Dragon Pavilion) is where the emperor handled his business in the Song Dynasty. The Iron Pagoda is a cultural relic of Kaibao Temple in the Song Dynasty. Xiangguo Temple lies in the center of Kaifeng, and it was the biggest temple in the Song Dynasty. Yuwang (the king Da Yu) Terrace is where people worship their learned ancestors. The tourism in Kaifeng has grown and flourished, owing to the existence of these scenic spots and historical sites.

(translated by Luo Hongbin)

Dì-èrshí'èr kè   Zài péngyou jiā

第二十二课   在 朋友 家
Lesson 22   At a Friend's Home

一、句子 Sentences

Nín zhǎo shéi?

576. 您 找 谁?

Who are you looking for?

Qǐngwen, Liú Fāng zài ma?

577. 请问, 刘 芳 在 吗?

May I ask if Liu Fang is at home?

Nǐ shì Zhào Míng de péngyou ba?

578. 你 是 赵 明 的 朋友 吧?

You are Zhao Ming's friend, aren't you?

Kuài qǐng jìn.

579. 快 请 进。

Come in, please.

Qǐng chī táng.

580. 请 吃 糖。

Have some sweets, please.

Qǐng děng yīhuìr.

581. 请 等 一会儿。

Wait a moment, please.

Duìbuqǐ, ràng nǐ jiǔ děng le.

582. 对不起，让 你 久 等 了。

Sorry to have made you wait for so long.

Kètīng li bǎizhe yī tào shāfā.

583. 客厅 里 摆着 一 套 沙发。

There is a sofa in the living room.

Qiáng shàng guàzhe yī fú huàr.

584. 墙 上 挂着 一 幅 画儿。

There is a painting on the wall.

Kào qiáng shì yī pái shūjià.

585. 靠 墙 是 一 排 书架。

There is a row of bookshelfs by the wall.

Shūjià shàng yǒu hěn duō shū.

586. 书架 上 有 很 多 书。

There are many books on the bookshelf.

Shūjià shàng hái fàngzhe yìxiē gōngyìpǐn.

587. 书架 上 还 放着 一些 工艺品。

There are also some handicrafts on the bookshelf.

Nánbiān shì yī gè yángtái.

588. 南边 是 一个 阳台。

There is a balcony on the south side.

Yángtái shàng zhòngzhe xǔduō huār.

589. 阳台 上 种着 许多 花儿。

There are many flowers on the balcony.

Yǒu méigui, yě yǒu lánhuā.

590. 有 玫瑰,也 有 兰花。

There are some roses, and there are some orchids, too.

Zhè shì wǒ bàba、māma de wòshì.

591. 这 是 我 爸爸、妈妈 的 卧室。

This is the bedroom of my parents.

Nà shì wǒ de fángjiān.

592. 那 是 我 的 房间。

That is my room.

Kètīng li zhēn gānjìng.

593. 客厅 里 真 干净。

It's so clean in the living room.

Shū fàng de hěn zhěngqí.
594. 书 放 得 很 整齐。
The books were put in good order.

Jiājù shì shéi shèjì de?
595. 家具 是 谁 设计 的?
Who designed the furniture?

Suíbiàn diǎnr, bié kèqi.
596. 随便 点儿，别 客气。
Relax and make yourself at home.

Nín tài kèqi le.
597. 您 太 客气 了。
That's very kind of you.

Xièxie nín de rèqíng zhāodài.
598. 谢谢 您 的 热情 招待。
Thanks for your kind hospitality.

Tài wǎn le, wǒ gāi zǒu le.
599. 太 晚 了，我 该 走 了。
It's getting late, I have to leave.

Qǐng liúbù.
600. 请 留步。
Don't bother to come any further, please.

二、词语 New Words and Phrases

1.	刘芳	（专）	Liú Fāng	(name of a person)
2.	在	（动）	zài	to be in; to be at
3.	赵明	（专）	Zhào Míng	(name of a person)
4.	请进		qǐng jìn	Come in, please.
5.	一会儿	（量）	yīhuìr	a moment
6.	客厅	（名）	kètīng	living room
7.	摆	（动）	bǎi	to put; to place
8.	着	（助）	zhe	(an aspect particle)
9.	沙发	（名）	shāfā	sofa
10.	墙	（名）	qiáng	wall
11.	挂	（动）	guà	to hang; to put up
12.	排	（量）	pái	row; line
13.	书架	（名）	shūjià	bookshelf
14.	工艺品	（名）	gōngyìpǐn	handicraft
15.	阳台	（名）	yángtái	balcony
16.	种	（动）	zhòng	to cultivate; to grow
17.	花儿	（名）	huār	flower
18.	兰花	（名）	lánhuā	orchid
19.	卧室	（名）	wòshì	bedroom

20. 干净	(形)	gānjìng	clean; neat and tidy
21. 整齐	(形)	zhěngqí	in a good order
22. 家具	(名)	jiājù	furniture
23. 设计	(动)	shèjì	to design
24. 热情	(形)	rèqíng	warm; enthusiastic
25. 招待	(动)	zhāodài	to receive (guests); to entertain
26. 留步	(动)	liúbù	don't bother to see me out; don't bother to come any further

三、会话 Dialogues

(一)

Qǐngwèn, jiā li yǒu rén ma?
A: 请问，家里有人吗？
Excuse me, anyone home?

Shì Yuēhàn a , kuài qǐng jìn.
B: 是 约翰 啊，快 请 进。
It's John. Come in, please.

Nǐ jiā zhēn piàoliang a! Jiājù shì nǐ zìjǐ shèjì de ma?
A: 你家 真 漂亮 啊! 家具是你自己设计的吗?

What a nice home you have! Did you design the furniture?

Dōu shì wǒ zìjǐ qīnzì shèjì de. Nǐ juéde zěnmeyàng?
B: 都 是 我 自己 亲自 设计 的。你 觉得 怎么样？

Yes, I designed them myself. What do you think of them?

Nǐ de shèjì shuǐpíng zhēn bùcuò.
A: 你 的 设计 水平 真 不错。

Your design's standard is pretty good.

Zhè shì wǒ de shūfáng.
B: 这 是 我 的 书房。

This room is my study.

A, zhème duō shū! Āi, nà shì shénme shítou?
A: 啊，这么 多 书！哎，那 是 什么 石头？

Oh, there're so many books. What are those stones?

Zhè shì yǔhuāshí, shì wǒ zài Nánjīng mǎi de.
B: 这 是 雨花石，是 我 在 南京 买 的。

They are Yuhua pebbles, I bought them in Nanjing.

Yángtái shàng hái zhòngle nàme duō huār.
A: 阳台 上 还 种了 那么 多 花儿。

And you have grown so many flowers on your balcony.

B: Zhèxiē shì mǔdan huār, Luòyáng de mǔdan shì zuì
这些 是 牡丹 花儿, 洛阳 的 牡丹 是 最
yǒumíng de.
有名 的。

These are peonies. Luoyang's peonies are the most famous in China.

(二)

A: Zuótiān xiàwǔ nǐ qù nǎr le? Wǒ dàochù zhǎo nǐ.
昨天 下午 你 去 哪儿 了?我 到处 找 你。

Where were you yesterday afternoon? I was looking for you everywhere.

B: Zuótiān xiàwǔ wǒ qù Dèng Cōng jiā le.
昨天 下午 我 去 邓 聪 家 了。

I went to Deng Cong's home yesterday afternoon.

A: Tā jiā zěnmeyàng?
他家 怎么样?

How is his home?

B: Tā jiā hěn dà, yě hěn piàoliang.
他家 很 大,也 很 漂亮。

It is big, and it is very nice.

Tā hěn xǐhuan huār. Tā jiā de huār duā ma?
A: 他 很 喜欢 花儿。他 家 的 花儿 多 吗？

He loves flowers. Are there many flowers in his home?

Yángtái shàng zhòngzhe hěn duō huār, tā zuì xǐhuan
B: 阳台 上 种着 很 多 花儿，他 最 喜欢
mǔdan huār.
牡丹 花儿。

A lot of flowers are grown in his balcony, and the peonies are his favorite.

Kètīng li yǒu shénme?
A: 客厅 里 有 什么？

What is in his living room?

Yǒu yī tái dà diànshì, diànshì pángbiān hái yǒu yī tào
B: 有 一 台 大 电视，电视 旁边 还 有 一 套
yīnxiǎng.
音响。

There is a big TV set, and there's a Hi-Fi stereo by the TV.

Hái yǒu ne?
A: 还 有 呢？

What else?

Hái yǒu hěn duō hǎokàn de wányìr.

B: 还 有 很 多 好看 的 玩艺儿。

And there are many fancy handicrafts.

Xià cì yǒu jīhuì, wǒ yīdìng yào qù tā jiā kànkan.

A: 下 次 有 机会，我 一 定 要 去 他 家 看看。

I certainly will go to have a look at his home next time if I got a
chance.

四、补充词语

Supplementary New Words and Phrases

1. 约翰	(专)	Yuēhàn	John
2. 亲自	(副)	qīnzì	personally; by oneself
3. 水平	(名)	shuǐpíng	standard; level
4. 书房	(名)	shūfáng	study
5. 石头	(名)	shítou	stone; rock
6. 雨花石	(名)	yǔhuāshí	Yuhua pebble
7. 南京	(专)	Nánjīng	Nanjing
8. 牡丹	(名)	mǔdan	peony
9. 洛阳	(专)	Luòyáng	Luoyang
10. 到处	(副)	dàochù	at all places; everywhere
11. 邓聪	(专)	Dèng Cōng	(name of a person)
12. 电视	(名)	diànshì	television; TV

13. 音响	(名)	yīnxiǎng	Hi-Fi stereo
14. 玩艺儿	(名)	wányìr	thing; gadget
15. 机会	(名)	jīhuì	chance; opportunity
16. 厨房	(名)	chúfáng	kitchen
17. 卫生间	(名)	wèishēngjiān	bathroom; toilet
18. 茶几	(名)	chájī	tea table; side table
19. 柜子	(名)	guìzi	cupboard; cabinet
20. 书桌	(名)	shūzhuō	desk; writing desk
21. 台灯	(名)	táidēng	desk lamp; table lamp
22. 电脑	(名)	diànnǎo	computer
23. 吊灯	(名)	diàodēng	pendent lamp
24. 钢琴	(名)	gāngqín	piano
25. 录音机	(名)	lùyīnjī	tape recorder
26. 收音机	(名)	shōuyīnjī	radio
27. 鲜花	(名)	xiānhuā	cut flower
28. 茉莉	(名)	mòlì	jasmine
29. 桂花	(名)	guìhuā	cassia
30. 荷花	(名)	héhuā	lotus
31. 郁金香	(名)	yùjīnxiāng	tulip
32. 仙人掌	(名)	xiānrénzhǎng	cactus
33. 假山	(名)	jiǎshān	rockery

五、练习 Exercises

1. 替换练习：Subsitition drills：

Kètīng li bǎizhe yī tào shāfā.

1) 客厅 里 摆着 一 套 沙发。

yángtái shàng 阳台 上	zhòngzhe 种着	xǔduō huār 许多 花儿
qiáng shàng 墙上	guàzhe 挂着	yī fú huàr 一 幅 画儿
shūjià shàng 书架 上	fàngzhe 放着	yīxiē gōngyìpǐn 一些 工艺品
chē shàng 车上	zuòzhe 坐着	hǎo duō rén 好 多 人
zhǐ shàng 纸上	xiězhe 写着	jǐ gè zì 几 个 字

Jiājù shì nǐ zìjǐ shèjì de ma?

2) 家具 是 你 自己 设计 的 吗？

cài	diǎn
菜	点
liànxí	zuò
练习	做
chūzūchē	jiào
出租车	叫
bāoguǒ	qǔ
包裹	取
piào	mǎi
票	买

Shū fàng de hěn zhěngqí.
3) 书 放 得 很 整齐。

cài	zuò	hǎochī
菜	做	好吃
yīfu	xǐ	gānjìng
衣服	洗	干净
huār	zhòng	piàoliang
花儿	种	漂亮
jiājù	shèjì	hǎokàn
家具	设计	好看

2. 用所给词语回答问题：

Answer the questions with the given words：

Shūjià shàng yǒu shénme?
1) 书架 上 有 什么？

hěn duō　　cídiǎn
很 多　　词典

Yángtái shàng yǒu shénme?
2) 阳台 上 有 什么?

méigui　　lánhuā
玫瑰　　兰花

Nà shì shéi de fángjiān?
3) 那 是 谁 的 房间?

fùmǔ　　wòshì
父母　　卧室

Dèng Cōng jiā zěnmeyàng?
4) 邓 聪 家 怎么样?

gānjìng　　piàoliang
干净　　漂亮

Kètīng li yǒu shénme?
5) 客厅 里 有 什么?

diànshì　　yīnxiǎng
电视　　音响

3. 介绍一下你自己家的情况。

Describe your room or your house.

附录

南　京

　　南京古称金陵、建邺、建康，俗称石头城，是九朝古都，东吴、东晋、宋、齐、梁、陈、南唐、明及太平天国曾建都于此。

　　南京位于长江下游，是江苏省省会。南京地势险要，长江绕城而过，钟山依城而立，秦淮河穿流城间，为历代兵家必争之地。辛亥革命后，孙中山把南京定为革命政府所在地，南京成为封建社会结束后中国第一个政治中心。

　　作为历史名城，南京有许多名胜古迹。秦淮河是历史名河，由于处于大运河的中心位置，这里商贸往来、官员赴任、文人游历十分频繁，流传下许多历史故事。

　　莫愁湖更源于一个动人的传说：洛阳有个贫家女，名叫莫愁，长得很美。为了埋葬父亲，她把自己卖给南京富商做了儿媳妇。她同情穷人，常常馈赠他们财物饭食，受到富商的责骂，莫愁气愤不已，投湖自尽。为了怀念这位善良的女子，人们把这个湖取名莫愁湖。

　　牛首山相传是宋朝名将岳飞抗金的地方；雨花台更是革命烈士的长眠之地，这里出产的雨花石玲珑剔透，深得游客喜爱；中山陵则是人们凭吊革命先行者孙中山先生的地方。

Nanjing

Nanjing is called Jinling, Jianye, Jiankang in ancient times, and popularly called Shitou Cheng (Stone City). It is an ancient capital of nine dynasties. The East Wu, the East Jin, the Song, the Qi, the Liang, the Chen, the South Tang, and the Ming Dynasties, Taiping Heavenly Kingdom (1851 – 1864), chose Nanjing as their capital.

Nanjing, situated in the lower reaches of the Changjiang River, is the capital of the Jiangsu Province. The terrain there is strategically situated and difficult to access. The Changjiang River runs around the city and the Zhongshan Mountain stands against it. The Qinhuai River runs through the city. That's why it is a place contested by all strategists. After Xinhai Geming (the Revolution of 1911, the Chinese bourgeois democratic revolution led by Dr. Sun Yat-sen which overthrew the Qing Dynasty), Sun Yat-sen chose Nanjing as the location for his revolutionary government. Nanjing became China's first political center by the end of feudal society.

As a famous historical city, Nanjing has many scenic spots and historical sites. The Qinhuai River is a famous river in history. Because it lies in the center of the Grand Canal, there have been quite a lot of stories in history about industrial and commercial trading, officials going away to their posts, writers coming often here to travel, etc..

Mochou Lake originates from a moving legend: there was a poor girl in Luoyang whose name was Mochou. She was quite a beautiful girl. In order to bury her father who was dead, she betrayed herself to a rich businessman in Nanjing to be his danghter-in-law. She sympathized with the poor people, and often presented them with property and food. She was then blamed seriously by the rich businessman. Mochou was so angry that she flung herself into a lake and drowend herself. To remember this kind girl, people called this lake Mochou Lake.

Niushou Hill is said to be a place where Yue Fei, the famous general of the Song Dynasty, fought against Jin forces while Yuhuatai (Yuhua Terrace) is a place where revolutionary martyrs were buried. The Yuhua pebbles produced here are sparkling and crystal-clear, which are very much liked by tourists. The Zhongshan Ling (the Sun Yat-sen Mausoleum) is a place where people pay a visit to commemorate Mr. Sun Yat-sen, the famous revolutionary martyr.

(translated by Luo Hongbin)

洛　阳

　　洛阳位于河南省西部伊洛盆地，北依邙山，南临伊阙，东有虎牢关，西有函谷关，地势险要，物产丰富，又有伊河、洛河等河流贯穿其中，历来就是兵家必争之地。

　　早在公元前 11 世纪，周武王灭商之后，就有意定都洛阳，后来周公东征，周朝正式建都洛阳。相传道家的创始人老子就在这里做史官，儒家先祖孔子曾前来请教。西汉末年，王莽乱政，汉室后代刘秀起兵讨伐，建立东汉，定都洛阳，使洛阳成为政治、商业和文化中心。后来兴起的魏朝和晋朝也以洛阳为都。南北朝时期，北魏在这里建都，洛阳目睹了孝文帝改革的盛况，它也成为中华民族大融合的中心之地。隋朝和唐朝以长安为都城，但都把洛阳做为东都，隋朝时大运河的开凿也给洛阳带来了繁荣。

　　作为著名的历史文化名城，洛阳有很多名胜古迹。白马寺历史悠久，被尊为中国佛教的"祖庭"（发源地）；龙门石窟更是佛教文化艺术的瑰宝；香山寺在龙门东山，唐朝许多文学家在这里留下遗迹；洛阳出产的陶瓷"唐三彩"更是驰名世界。

　　洛阳牡丹是中国名贵花卉。人们爱牡丹，不仅爱它的艳丽和富贵，更爱它的文化意蕴。传说唐朝时武则天曾命令百花在冬天里一夜开遍，唯有牡丹不肯从命，被贬洛阳，这才有了花大如碗、艳丽无比的洛阳牡丹……

Luoyang

Luoyang is situated in the Yilong Basin in the western Henan Province, with Mangshan Mountain in the north, Yique in the south, Hulaoguan (Tiger Cage Pass) in the east, and Hangu Pass in the west. The terrain there is strategically situated and difficult of access. It is rich in resourses, with Yi River, Luo River, etc., running through the city. It has been an essential place contested by all strategists in history.

As early as the 11th century B.C., after Zhou Wuwang (the king of the Zhou Dynasty) defeated the Shang Dynasty, he intended to choose Luoyang his capital. Later Zhougong fought east, and the Zhou Dynasty began to formally choose Luoyang for its capital. It is said that Laozi, the originator of Taoism, served as a historiographer here, and Confucius, the forefather of confucianism came here to comsult. During the last years of the West Han Dynasty, Wang Mang usurped the throne. Liu Xiu, the royal descendant of the Han Dynasty, sent armed forces against it, and established the East Han Dynasty. Then it chose Luoyang for its capital, which became the center of politics, business, and culture. Later, the Wei Dynasty and Jin Dynasty also chose it for their capital. During the Southern and Northern Dynasties, the Northern Wei Dynasty chose it as its capital. So Luoyang witnessed the spectacular event of the Reform by Xiaowen

Emperor. This city has now become the center of the Chinese nation. The Sui Dynasty and Tang Dynasty chose Chang'an as their capital, and Luoyang as their eastern capital. The opening of the Grand Canal in the Sui Dynasty also added some prosperity to Luoyang.

As a famous historical and cultural city, Luoyang has many famous scenic spots and historical sites. Baima Temple (White Horse Temple) has a long history, which is called respectably as "zuting"(birthplace) of China's Buddhism. Longmen Shiku, the Longmen Grottoess, is another more important treasure of art and literature for China's Buddhism. Xiangshan Temple is in the eastern hill of Longmen, many Tang Dynasty writers left historical traces here. The ceramics "Tang San Cai" (tri-coloured glazed pottery of the Tang Dynasty) manufactured in Luoyang, are renowned at home and abroad.

Luoyang peony is China's rare flower. People love peonies not only because of its gorgeous beauty, but also because of its cultural sense, the richness and honor it signifies. It is said that Wu Zetian (the only woman emperor in the history of China) ordered that all flowers blossom overnight in winter. Only peonies didn't obey the order, so they were banished away into Luoyang. Thus, people in Luoyang began to have the unique beautiful peony whose flowers are as big as bowls.

(translated by Luo Hongbin)

Dì-èrshísān kè   Tán xuéxí
第二十三课　　谈　学习
Lesson 23　Talking about Studies

一、句子 Sentences

Nǐ huì shuō Hànyǔ ma?
601. 你会说汉语吗?
Can you speak Chinese?

Nǐ néng shuō Yīngyǔ ma?
602. 你能说英语吗?
Can you speak English?

Wǒ bù huì shuō.
603. 我不会说。
I can't speak.

Wǒ shuō de bù tài hǎo.
604. 我说得不太好。
I can't speak well.

Wǒ zhǐ huì shuō yīdiǎnr.
605. 我 只 会 说 一点儿。
I can say only a few words.

Nǐ Hànyǔ shuō de zěnmeyàng?
606. 你 汉语 说 得 怎么样?
How about your Chinese?

Nǐ xuéguo Hànyǔ ma?
607. 你 学过 汉语 吗?
Have you ever learned Chinese?

Wǒ xuéguo yī nián Hànyǔ.
608. 我 学过 一 年 汉语。
I learned Chinese for one year.

Nǐ xuéle duō cháng shíjiān Hànyǔ le?
609. 你 学了 多 长 时间 汉语 了?
How long have you been studying Chinese?

Zhōngguórén shuō Hànyǔ nǐ néng tīngdǒng ma?
610. 中国人 说 汉语 你 能 听懂 吗?
Can you understand Chinese people when they speak Chinese?

Yīngguórén shuō Yīngyǔ nǐ tīng de dǒng tīng bù dǒng?
611. 英国人 说 英语 你 听 得 懂 听 不 懂?
Can you understand English people when they speak English?

Wǒ tīng bù dǒng.
612. 我 听 不 懂。
I can't understand.

Tā yīdiǎnr yě tīng bù dǒng.
613. 他 一点儿 也 听 不 懂。
He can't understand at all.

Tāmen màn diǎnr shuō, wǒ néng tīngdǒng.
614. 他们 慢 点儿 说，我 能 听懂。
I can understand when they speak slowly.

Nǐ néng kàn Zhōngwén shū bù néng?
615. 你 能 看 中文 书 不 能？
Can you read Chinese books?

Wǒ kàn bù tài dǒng.
616. 我 看 不 太 懂。
I can't read Chinese very well.

Nǐ de Hànyǔ shuō de bùcuò.
617. 你 的 汉语 说 得 不错。
Your Chinese is pretty good.

Nǐ de Hànyǔ hěn dìdao.

618. 你 的 汉语 很 地道。

Your Chinese is very good.

Tā de Xībānyáyǔ yuè shuō yuè liúlì.

619. 他 的 西班牙语 越 说 越 流利。

His Spanish is getting more and more fluent.

Hànyǔ yuè xué yuè nán.

620. 汉语 越 学 越 难。

The more you learn Chinese, the more difficult you feel about Chinese language.

Nǐ zài nǎr xué de Ālābóyǔ?

621. 你 在 哪儿 学 的 阿拉伯语？

Where did you learn your Arabic?

Tā shuō de yuè lái yuè hǎo.

622. 他 说 得 越 来 越 好。

He speaks better and better.

Yǔfǎ nán, Hànzì gèng nán.

623. 语法 难, 汉字 更 难。

The grammar is difficult, and the charaters of Chinese are more difficult.

Qǐng nín zài shuō yī biàn.

624. 请 您 再 说 一 遍。

Say it again, please. (or Beg pardon).

Wǒ yòu shuōcuò le.

625. 我 又 说错 了。

I made a mistake again.

二、词语 New Words and Phrases

1. 懂	(动)	dǒng	to understand
2. 英语	(专)	Yīngyǔ	English
3. 地道	(形)	dìdao	pure; typical
4. 西班牙语	(专)	Xībānyáyǔ	Spanish
5. 越…越…		yuè…yuè…	more and more; the more…, the more…
6. 流利	(形)	liúlì	fluent; smooth
7. 学	(动)	xué	to learn; to study
8. 难	(形)	nán	difficult
9. 阿拉伯语	(专)	Ālābóyǔ	Arabic
10. 语法	(名)	yǔfǎ	grammar
11. 汉字	(专)	Hànzì	Chinese character

三、会话 Dialogues

(一)

Nǐ de Hànyǔ shuō de hěn dìdao.
A: 你 的 汉语 说 得 很 地道。
You speak idiomatic Chinese.

Nín guòjiǎng le.
B: 您 过奖 了。
You flatter me.

Zhēn de! Nǐ zài nǎr xué de Hànyǔ?
A: 真 的!你 在 哪儿 学 的 汉语?
It's true! Where did you learn your Chinese?

Wǒ zài Běijīng xuéguo sān nián.
B: 我 在 北京 学过 三 年。
I have learned in Beijing for three years.

Nánguài nǐ shuō de zhème hǎo.
A: 难怪 你 说 得 这么 好。
No wonder you speak so well.

Wǒ gāng xué Hànyǔ de shíhou yě juéde Hànyǔ tèbié nán.

B: 我 刚 学 汉语 的 时候 也 觉得 汉语 特别 难。

I thought Chinese was very difficult when I began to learn.

Wèi shénme?

A: 为 什么?

Why?

Yīnwèi wǒ tīng bù dǒng biéren shuō shénme.

B: 因为 我 听 不 懂 别人 说 什么。

Because I couldn't understand what people said.

Xiànzài ne?

A: 现在 呢?

What about now?

Xiànzài hǎo duō le. Dànshì yǒu kǒuyin dehuà, wǒ háishi

B: 现在 好 多 了。但是 有 口音 的话，我 还是

tīng bù tài míngbai.

听 不 太 明白。

It's much better now, but I still can not understand exactly if someone speaks with an accent.

(二)

A: Yàlìshāndà, nǐ de Hànyǔ shuō de bàng jí le!
亚历山大，你的汉语说得棒极了!
Alexander, your Chinese is great!

B: Nǎli, nǎli.
哪里，哪里。
Thank you.

A: Nǐ yǒu shénme juéqiào ma?
你有什么诀窍吗?
What's your secret of success?

B: Xué wàiyǔ méi yǒu juéqiào.
学外语没有诀窍。
There's no secret of success for learning foreign languages.

A: Nǎ nǐ shì zěnme xué de ne?
那你是怎么学的呢?
So how did you learn?

B: Zhǔyào shì duō liànxí.
主要是多练习。
Mainly practise a lot.

Wǒ juéde yǔfǎ hěn nán.

A:我 觉得 语法 很 难。

I feel grammar is difficult to me.

Rúguǒ nǐ lǐjiěle dehuà jiù bù nán le.

B:如果 你 理解了 的话 就 不 难 了。

It will not be difficult if you understood.

Cíhuì ne?

A:词汇 呢?

What about vocabulary?

Nǐ děi jì. Nǐ zhǎngwò de cíhuì yuè duō, nǐ hé biéren

B:你 得 记。你 掌握 的 词汇 越 多,你 和 别人

jiāotán shí jiù yuè zìyóu.

交谈 时 就 越 自由。

You have to memorise. The larger your vocabulary is, the more freedom you have when you communicate with the others.

四、补充词语
Supplementary New Words and Phrases

1.过奖　　(动)　guòjiǎng　　overpraise; undeserved compliment

2.难怪　　(副)　nánguài　　no wonder

3.特别　　(副)　tèbié　　specially; extremely

4. 因为	(连)	yīnwèi	because; for
5. 别人	(代)	biéren	other people; others
6. 但是	(连)	dànshì	but
7. 口音	(名)	kǒuyin	accent
8. 还是	(副)	háishi	still
9. 亚历山大	(专)	Yàlìshāndà	Alexander
10. 棒	(形)	bàng	good; excellent
11. 哪里	(代)	nǎli	it was nothing; thank you
12. 诀窍	(名)	juéqiào	secret of success; knack
13. 外语	(名)	wàiyǔ	foreign language
14. 主要	(形)	zhǔyào	mainly
15. 练习	(动)	liànxí	to practise; to exercise
16. 如果	(连)	rúguǒ	if
17. 理解	(动)	lǐjiě	to understand; to comprehend
18. 词汇	(名)	cíhuì	vocabulary; words
19. 记	(动)	jì	to remember; to memorise
20. 掌握	(动)	zhǎngwò	to master; to know well
21. 交谈	(动)	jiāotán	to talk; to communicate
22. 自由	(形)	zìyóu	free
23. 读	(动)	dú	to read
24. 葡萄牙语	(专)	Pútáoyáyǔ	Portuguese
25. 印地语	(专)	Yìndìyǔ	Hindi

26. 句型　　（名）　jùxíng　　　sentence pattern

五、练习 Exercises

1. 替换练习：Subsititution drills：

Hànyǔ yuè xué yuè nán.

1) 汉语 越 学 越 难。

Xībānyáyǔ 西班牙语	shuō 说	liúlì 流利
Fǎyǔ 法语	jiǎng 讲	dìdao 地道
Hànzì 汉字	xiě 写	piàoliang 漂亮
Zhōngguó cài 中国菜	chī 吃	hǎochī 好吃
xiǎoshuō 小说	kàn 看	yǒu yìsi 有意思

Yǔfǎ nán, Hànzì gèng nán.

2) 语法 难，汉字 更 难。

yú 鱼	hǎochī 好吃	lóngxiā 龙虾
jiějie 姐姐	piàoliang 漂亮	mèimei 妹妹
huǒchē 火车	kuài 快	fēijī 飞机
zhèr 这儿	fāngbiàn 方便	nàr 那儿
zhè zhǒng yào 这 种 药	kǔ 苦	nà zhǒng yào 那种药

2. 用所给词语造句:

Make sentences with the given words:

例:
　　yǒu　　kǒuyin　　tīng　　míngbai
　　有　　口音　　听　　明白　→

Rúguǒ yǒu kǒuyin dehuà, wǒ jiù tīng bù míngbai.
如果 有 口音 的话,我 就 听 不 明白。

1)
tài là　　chī　　xiàqu
太辣　　吃　　下去

2)
tài guì　　mǎi　　qǐ
太贵　　买　　起

3)
tài nán　　kàn　　dǒng
太难　　看　　懂

4)
tài duō　　hē　　wán
太多　　喝　　完

tài kuài　　tīng　　qīngchu
5) 太快　　听　　清楚

3. 口头回答问题：Answer the following questions：

Nǐ huì shuō Hànyǔ ma?
1) 你 会 说 汉语 吗？

Nǐ xuéle duō cháng shíjiān Hànyǔ le?
2) 你 学了 多 长 时间 汉语 了？

Nǐ Yīngyǔ shuō de zěnmeyàng?
3) 你 英语 说 得 怎么样？

Nǐ zài nǎr xué de Hànyǔ?
4) 你 在 哪儿 学 的 汉语？

Nǐ xué Hànyǔ yǒu shénme juéqiào?
5) 你 学 汉语 有 什么 诀窍？

附录

中 国 教 育

从中国的第一个朝代夏朝开始，中国就有了官办的学校，称为庠、序。不过这些学校只供贵族子弟接受教育。春秋战国时期，兴起了私学。孔子就是这个时代的人，他从民间招收学生学习儒家理论。由于孔子在教育理论上的卓著成就，他被尊称为"万世师表"（意为"后代所有人的老师"）。古代教育以培养政治人才为主，自然科学和技术教育被忽视。

中国近代教育源于 1840 年的鸦片战争，当时清政府被迫废除八股与科举制度，设立中小学并兴办了一批"新学"，传授军事、科技与外国语，希望借助这些措施来挽救垂败的命运。辛亥革命后的民国开始颁布教育法规。

新中国建立以来，人民政府对教育很重视。在改革开放的过程中，教育与科技被看成是国家富强的两条必由之路，教育极受重视。目前，中国教育分为初等、中等和高等教育三个层次，形成了遍布全国的教育体系，高等教育中专业设置齐全，中等教育逐步向技术型、实用型方向发展，初等教育实行九年义务教育制。为了帮助失学儿童，国家还发起"希望工程"，使边远贫困地区儿童有接受教育的同等机会。同时，成人教育也初具规模。

值得一提的是，教师受到了政府和民间的重视，教师地位正逐年提高。

The Education of China

China started to have government-run schools since the Xia Dynasty — the first dynasty ever in Chinese history. But those schools were only meant for the children of the aristocrats. Private schools were initiated during the Periods of the Spring and Autumn, and of the Warring States, which created a great man: Confucius. Confucius took in students from the ordinary people and taught them Confucian theory. He won deep respect and obtained the honorific title of "the Master of Exemplary Virtue for All," meaning he was the teacher of all the generations to come. The ancient education put its focus on the training of political talents, but neglected natural science and technology.

The Chinese modern education started in 1840, in the time that the Opium War broke out . At that time, the government of the Qing Dynasty was compelled to abandon the so-called "Eight Part Essay" and the Imperial Examination System, and to set up primary and middle schools and to advocate a series of "New Learning" which taught military science, natural science, and foreign languages, etc.. It was expected that the adoption of these measures might help stop the Qing Dynasty from declining. The Republic of China, after the Revolution of 1911, started to promulgate decrees on education.

Ever since the founding of the P. R. China, the people's

government has attached great importance to education. During the grand course of reform and opening to the outside world, education and science were viewed as an indispensible channel through which to build a prosperous and strong China. Education assumed an extremely important position. At present, the Chinese education has three levels: the primary level, the secondary level and the high level, forming a national educational system through the whole country. The high-level education has a complete establishment of all kinds of speciality courses; the secondary level emphasizes technological and pragmatic oriented education for its future development; the primary level adopts a system of 9-year compulsory education. China has recently launched a movement of "the Hope Project," which aims at providing financial aid to the children deprived of education in the poor and remote areas. Adult education has also developed into one of a considerable scale.

Worth-mentioning here is also the fact that teachers enjoy more and more respect from the government and the people, and their social status sees a continuous rise in the society.

(translated by Dai Canyu)

孔　子

　　若要回答这么个问题："对中国影响最大的十个人是谁?"人们的答案中都不会缺少这三个人：秦始皇、孔子、毛泽东。

　　孔子是中国春秋时期（公元前五至四世纪）的思想家、教育家、儒家学派的创始人，名丘。

　　孔子主张博爱与克制自己，为了宣传自己的主张，他曾率领众弟子周游列国。在活着的时候就已经有人称孔子为"圣人"。汉朝开始，统治者开始把孔子学说尊奉为经典，儒家思想成为统治思想。

　　在教育上，孔子主张按照个人天赋才能的不同，用相应的方法来进行教育，这就是"因材施教"。他主张克制自己，但也承认人的欲望的合理性，认为"食、色，性也"（吃饭和性行为是人的天性）。他的道德观念以"仁爱"为中心，要求人们按照长幼尊卑秩序行事，不合乎礼节的事不要去做。在他的道德观里，对个人利益采取了排斥态度，这对中国人的道德观念产生了极大的影响，中国人判断人好与不好的标准往往是看一个人能不能为别人而舍弃自己的利益，而不是根据智力、才华、能力来判断，其根源就是孔子的道德观。

　　孔子主张文人积极参加政治活动，他说"学而优则仕"（学习成绩优秀就去做官），主张文人"修身、齐家、治国、平天下"（加强修养，治理好家庭，管理好区域，统治天下）。这些学说对中国文人有极大影响。

Confucius

When such a question "Who are the most influencial figures in Chinese history?" is raised, it is very likely that all answers will include the first emperor of the Qin Dynasty, Confucius, and Mao Zedong.

Confucius was a great thinker, educator, as well as the founder of Confucianism in China during the Spring and Autumn Period (5th – 4th century BC). His original name was Kong Qiu.

Confucius stood for and firmly advocated universal love and self-restraint. In order to spread his ideas, he used to lead his students to travel round many states. He had already received the title of "the Sage" when he was still alive. Beginning from the Han Dynasty, the feudal rulers started to regard the theory of Confucius as authentic doctrine and take confucianism as their ruling thought.

In education, Confucius actively advocated the concept that education must be conducted in its fittest form chosen according to the different talent of each individual student. This is what the proverb "to conduct education according to the educated" means. He stood for self-restraint, but recognized the rationality of the natural desires of human beings. He said, "To eat and to conduct sex are just human nature." The core of his moral concept was honesty and benevolence. He called for the establishment of an order of rites which people must follow according to their positions in their family as well as in the society. Anything against the order of rites should be turned down. His moral concept was basically repellent of individual interest. His ideas have exerted an extremely great influence on the forming of the Chinese morality. The Chinese judgement of a good person or a bad person is based on whether the person is ready to sacrifice his own interest for the good of the others, regardless of his intelligence, talent and competence.

Confucius actively encouraged the scholars to participate in political activities. He said, "Learn, and become learned in order to be a good official." He proposed that scholars should "cultivate themselves, run their families, administer their appointed districts, and govern the whole country." These ideas have greatly influenced many Chinese scholars.

(translated by Dai Canyu)

Di-èrshísì kè   Tán tiānqì

第二十四课   谈 天气

Lesson 24   Talking about the Weather

一、句子 Sentences

Jīntiān tiānqì zěnmeyàng?

626. 今天 天气 怎么样?

How's the weather today?

Zuótiān wǎnshang xià yǔ le.

627. 昨天 晚上 下 雨 了。

It was raining last night.

Zuó wǎn de yǔ xià de zhēn dà.

628. 昨 晚 的 雨 下 得 真 大。

The rain was pelting down last night.

Xiànzài hái zài xià ma?

629. 现在 还 在 下 吗?

Is it still raining now?

Xiànzài bù xià le, tíng le.

630. 现在 不 下 了，停 了。

It isn't raining. It stopped.

Jīntiān tiānqì zhēn hǎo!

631. 今天 天气 真 好！

What a fine day today!

Nǐ tīng tiānqì yùbào le ma?

632. 你 听 天气 预报 了 吗？

Did you listen to the weather forecast?

Tiānqì yùbào zěnme shuō de?

633. 天气 预报 怎么 说 的？

What did the weather report say?

Jīntiān zuì gāo qìwēn èrshíwǔ dù, zuì dī qìwēn shíliù dù.

634. 今天 最 高 气温 25 度，最 低 气温 16 度。

The highest temperature today would be 25℃, and the lowest 16℃.

Zuótiān kě zhēn rè!

635. 昨天 可 真 热！

It was really hot yesterday.

Jīntiān hěn liángkuai.

636. 今天 很 凉快。

It's nice and cool today.

Míngtiān shì qíngtiān háishi yīntiān?
637. 明天 是 晴天 还是 阴天?
Will tomorrow be sunny or cloudy?

Míngtiān qíng zhuǎn yīn, xiàwǔ yǒu xiǎoyǔ.
638. 明天 晴 转 阴,下午 有 小雨。
Tomorrow would be sunny and then turn cloudy later, and there will be some light rain in the afternoon.

Guā bù guā fēng?
639. 刮 不 刮 风?
Will it be windy?

Xiàtiān yòu rè yòu cháoshī.
640. 夏天 又 热 又 潮湿。
It is hot and humid in summer.

Qiūtiān bù lěng yě bù rè.
641. 秋天 不 冷 也 不 热。
It is neither cold or hot in autumn.

Zhèr de dōngtiān yǒu wǒ jiāxiāng nàme lěng.
642. 这儿 的 冬天 有 我 家乡 那么 冷。
The winter here is as cold as in my hometown.

Zhèr de qiūtiān gēn wǒ jiāxiāng yīyàng liángshuǎng.

643. 这儿 的 秋天 跟 我 家乡 一样 凉爽。

The autumn here is as pleasantly cool as in my hometown.

Jīnnián bǐ qùnián lěng duō le.

644. 今年 比 去年 冷 多 了。

This year is much colder than last year.

Wǒ tǎoyàn guā fēng.

645. 我 讨厌 刮 风。

I hate wind.

Guǎngzhōu yǒu méiyǒu wù?

646. 广州 有 没有 雾?

Is there any fog in Guangzhou?

Zhèr de qìhòu nǐ xíguàn le ma?

647. 这儿 的 气候 你 习惯 了 吗?

Have you gotten used to the weather here?

wǒ yǐjīng xíguàn le.

648. 我 已经 习惯 了。

I have gotten used to the weather here.

Wǒ hái bù tài shìyìng zhè zhǒng shīrè de qìhòu.

649. 我 还 不 太 适应 这 种 湿热 的 气候。

I am not used to the hot and humid weather here.

Wǒ shòu bù liǎo le.

650. 我 受 不 了 了。

I can't bear any more.

二、词语 New Words and Phrases

1. 天气	(名)	tiānqì	weather
2. 下	(动)	xià	(of rain, snow, etc.) fall
3. 雨	(名)	yǔ	rain
4. 预报	(动)	yùbào	to forecast
5. 气温	(名)	qìwēn	air temperature; atmospheric temperature
6. 度	(量)	dù	degree
7. 可	(副)	kě	really
8. 凉快	(形)	liángkuai	nice and cool; pleasantly cool
9. 晴天	(名)	qíngtiān	fine day; sunny day
10. 阴天	(名)	yīntiān	overcast sky; cloudy day
11. 晴	(形)	qíng	fine; clear
12. 阴	(形)	yīn	overcast sky; cloudy
13. 小雨	(名)	xiǎoyǔ	light rain
14. 刮	(动)	guā	to blow

15. 风	(名)	fēng	wind
16. 潮湿	(形)	cháoshī	moist; damp
17. 冷	(形)	lěng	cold
18. 冬天	(名)	dōngtiān	winter
19. 凉爽	(形)	liángshuǎng	nice and cool; pleasantly cool
20. 讨厌	(动)	tǎoyàn	hate; dislike; disgusting
21. 雾	(名)	wù	fog
22. 气候	(名)	qìhòu	climate
23. 习惯	(动)	xíguàn	be used to;
24. 适应	(动)	shìyìng	be used to; to adjust; to adapt
25. 受不了	(动)	shòu bù liǎo	can not bear

三、会话 Dialogues

(一)

Xiǎo Lín, nǐ tīng tiānqì yùbào le ma?

A: 小林，你听天气预报了吗？

Xiao Lin, did you listen to the weather report?

Tīng le.

B: 听了。

Yes, I did.

Tiānqì yùbào zěnme shuō de?

A: 天气 预报 怎么 说 的?

What did the weather report say?

Tiānqì yùbào shuō, jīntiān zuì gāo qìwēn sānshíwǔ

B: 天气 预报 说, 今天 最 高 气温 35

shèshìdù, zuì dī qìwēn èrshíjiǔ shèshìdù.

摄氏度, 最 低 气温 29 摄氏度。

The weather report said that the highest temperature would be 35℃ and the lowest would be 29℃.

Jīntiān háishi zhème rè. Míngtiān ne?

A: 今天 还是 这么 热。明天 呢?

It is still very hot today. What about tomorrow?

Míngtiān shàngwǔ shì qíngtiān, xiàwǔ yǒu zhènyǔ.

B: 明天 上午 是 晴天, 下午 有 阵雨。

It would be fine tomorrow morning and there will be some showers in the afternoon.

Yǒu méiyǒu fēng?

A: 有 没有 风?

Will it be windy?

Fēng bù dà. Tiānqì yùbào shuō, míngtiān fēnglì sān dào sì jí.
B: 风 不 大。天气 预报 说， 明天 风力 三 到 四 级。

No, not very windy. The weather report said that the wind-force
would be three to four (Beaufort scale).

Míngtiān wǒ hái yào jìnchéng ne. Kànlai wǒ děi dài yǔsǎn.
A: 明天 我 还要 进城 呢。看来我得带雨伞。

I'm going to go downtown tomorrow. It seems I will have to bring
my umbrella with me.

(二)

Luóbótè, nǐ lái Guǎngzhōu yǒu duō jiǔ le?
A: 罗伯特，你来 广州 有多久了？

Robert, how long have you been living in Guangzhou?

Yǒu yī nián duō le.
B: 有 一 年 多 了。

Over a year.

Nǐ juéde Guǎngzhōu de qìhòu zěnmeyàng?
A: 你 觉得 广州 的 气候 怎么样？

How do you feel about the climate in Guangzhou?

Guǎngzhōu de dōngtiān bù xià xuě, bǐ wǒ jiāxiāng nuǎnhuo
B: 广州 的 冬天 不 下 雪，比我家乡 暖和

duō le.
多 了。

It doesn't snow in winter, and it is much warmer than in my hometown.

Nà Guǎngzhōu de xiàtiān ne?
A: 那 广州 的夏天 呢?

What about the summer in Guangzhou?

Guǎngzhōu de xiàtiān tài rè、 tài cháoshī le, érqiě
B: 广州 的夏天 太热、太 潮湿 了, 而且
chángcháng guā táifēng.
常常 刮台风。

The summer in Guangzhou is too hot and damp, and typhoons come very often.

Guǎngzhōu de qìhòu nǐ xíguàn le ma?
A: 广州 的气候你习惯 了 吗?

Have you gotten used to the climate in Guangzhou?

Hái bù tài shìyìng. Nǐ ne?
B: 还 不太 适应。你 呢?

Not really. What about you?

Wǒ hái kěyǐ. Zhèr de qìhòu hé wǒ jiāxiāng de
A: 我 还 可以。这儿 的气候和我 家乡 的

chà bu duō.

差 不 多。

I'm all right. The climate here is similar to the climate of my hometown.

四、补充词语
Supplementary New Words and Phrases

1. 林	（专）	Lín	(a surname)
2. 摄氏度	（名）	shèshìdù	centigrade
3. 低	（形）	dī	low
4. 阵雨	（名）	zhènyǔ	showers
5. 风力	（名）	fēnglì	wind-force
6. 级	（量）	jí	degree
7. 进城	（动）	jìnchéng	to go to downtown
8. 罗伯特	（专）	Luóbótè	Robert
9. 雪	（名）	xuě	snow
10. 暖和	（形）	nuǎnhuo	warm
11. 而且	（连）	érqiě	and
12. 台风	（名）	táifēng	typhoon
13. 差不多	（动）	chà bu duō	about the same; similar
14. 冰	（名）	bīng	ice
15. 结冰	（动）	jiébīng	to freeze; to ice up

16. 霜　　　（名）　shuāng　　　frost
17. 雷　　　（名）　léi　　　　　thunder
18. 闪电　　（名）　shǎndiàn　　lightning
19. 零下　　（名）　língxià　　　minus
20. 旱灾　　（名）　hànzāi　　　drought
21. 水灾　　（名）　shuǐzāi　　　flood

五、练习 Exercises

1. 替换练习：Substitution drills：

　　Zuótiān wǎnshang xià yǔ le.
1)　昨天 晚上　下 雨 了。

jīntiān shàngwǔ 今天　上午	guā fēng 刮 风
qùnián dōngtiān 去年　冬天	xià xuě 下 雪
qiántiān wǎnshang 前天　　晚上	dǎ léi 打 雷
qiánnián dōngtiān 前年　冬天	jié bīng 结 冰
shàng gè xīngqī 上 个 星期	guā táifēng 刮 台风

Zhèr de qiūtiān   gēn wǒ jiāxiāng yīyàng liángshuǎng.
2) 这儿 的 秋天 跟 我 家乡 一样   凉爽。

Guǎngzhōu de dōngtiān	nuǎnhuo
广州 的 冬天	暖和
Běijīng de xiàtiān	rè
北京 的 夏天	热
nàr de chūntiān	cháoshī
那儿 的 春天	潮湿

Zhèr de qìhòu   hé wǒ jiāxiāng de chà bu duō.
3) 这儿 的 气候 和 我 家乡 的 差 不 多。

qùnián de qìhòu	jīnnián de
去年 的 气候	今年 的
zhè zhǒng yào de wèidao	nà zhǒng de
这 种 药 的 味道	那 种 的
tā xiě de Hànzì	wǒ xiě de
他 写 的 汉字	我 写 的
ruǎnwò de piàojià	fēijī de
软卧 的 票价	飞机 的

2. 用所给词语造句：

Make sentences with the given words：

bǐ nuǎnhuo
例: 比，暖和 →

Guǎngzhōu de qìhòu bǐ wǒ jiāxiāng nuǎnhuo duō le.
广州 的 气候 比 我 家乡 暖和 多 了。

qiūtiān　　liángkuai
1) 秋天，凉快

xiàtiān　　rè
2) 夏天，热

táifēng　　dà
3) 台风，大

dōngxi　　guì
4) 东西，贵

Hànyǔ yǔ fǎ　　nán
5) 汉语 语法，难

3. 填空：Fill in the following blanks：

Zuótiān　　zhēn rè!
1) 昨天＿＿＿＿真热！

Míngtiān shì qíngtiān　　yīntiān?
2) 明天 是 晴天＿＿＿＿阴天？

Míngtiān qíng zhuǎn　　xiàwǔ yǒu xiǎoyǔ.
3) 明天 晴 转 ＿＿＿＿，下午 有 小雨。

Xiàtiān　　rè　　cháoshī.
4) 夏天＿＿＿热＿＿＿潮湿。

Nǐ　　Guǎngzhōu de qìhòu zěnmeyàng?
5) 你＿＿＿＿广州 的 气候 怎么样？

4. 口头回答问题：Answer the following questions：

Jīntiān tiānqì zěnmeyàng?
1) 今天 天气 怎么样？

Tiānqì yùbào zěnme shuō de?
2) 天气 预报 怎么 说 的？

Nǐ tǎoyàn shénme?
3) 你 讨厌 什么？

Guǎngzhōu de qìhòu zěnmeyàng?
4) 广州 的气候 怎么样？

Nǐ xǐhuan shénme yàng de qìhòu?
5) 你 喜欢 什么 样 的气候？

附录

迎春花市

广州有"花城"之称，广州人也非常喜爱鲜花。在人们的生活中，种花、插花是不可缺少的乐事，游花地、逛花街、摆年桔、摆水仙、插桃花的风俗已延续数千年。而迎春花市则集中地表现了广州人对鲜花的喜爱之情。

一千多年前，广州郊农就以种花为生。花市兴起于明朝万历年间，当时芳村的花棣已成为花木产区；清朝的时候，在广州的城门下开始出现花市。19世纪60年代，平时卖花发展为一年一度的迎春花会。1919年后，花市更加兴旺，游花市的人也逐年增多。

现在，每年的农历腊月二十八晚至除夕夜，教育路、东华南路、逢源路、滨江路、天河路和芳村、黄埔都设有迎春花会。花会上彩门矗立、宫灯闪亮，各种果木盆景、奇花异卉纷纷出现在花市上，品种可多达上千种，数以百万计的市民和慕名而来的各地游客参加逛花市活动，欢声笑语与花的海洋、花的河流融为一体，热闹异常，给人一种热闹火爆的迎春气氛。

随着人们生活水平的提高，人们的审美情趣也发生了变化，所购花木也不再限于金桔、银柳，名贵的花木如山茶花、牡丹、兰花及异国花卉也已成为人们青睐的对象。

The Flower Show in Guangzhou

Guangzhou is named "the Flower City." Guangzhou people are also extremely fond of fresh flowers. Growing flowers and arranging flowers are an indispensable amusement in their lives. The customs such as strolling about flower farms, strolling around flower shows, arranging annual oranges, narcissus, and peach blossoms have lasted several thousands of years. The flower shows during the Spring Festival reflects the Guangzhou people's love for flowers.

Over one thousand years ago, the suburb farmers of Guangzhou lived on growing flowers. Flower show originated in the Wanli Period of the Ming Dynasty. At that time, Huadi of Fangcun (Flower Village) had already become a productive area of flowers and trees, the flower market appeared in the Qing Dynasty. In the 1860's, the daily flower sale market developed to an annual flower show to welcome spring. After 1919, the flower show became more and more flourishing, and the number of people who strolled around the flower show increased remarkably.

Nowadays, from December 28 to the New Year's Eve of the lunar calendar every year, the flower show is set up on Jiaoyu Road, South Donghua Road, Fengyuan Road, Binjiang Road, Tianhe Road, Fangcun, and Huangpu. In the show, there are standing coloured gates, sparkling palace lanterns, a variety of fruit trees and potted landscapes, and exotic flowers and rare trees, all of which are on sale one after another. There are almost a thousand varieties. Millions of citizens and tourists who are out of admiration from all over the country and abroad all come to join this activity of strolling about the flower show. People talk and laugh in the ocean of flowers. The unusual bustling gives a lively and exciting atmosphere of the spring-coming.

With the development of the people's living standard, their interest in appreciation for beauty has changed. The flowers they buy are not only golden oranges and silver willows, but also rare flowers and trees, such as camellia, peony, orchid, and foreign flowers and trees.

(translated by Luo Hongbin)

五 岳

"天下名山僧占多",意思是说天下的名山大都被佛教给占用了。这句话一点不假,五岳全是佛教胜地。

东岳泰山屹立于山东省中部,气势磅礴,拔地而起。因其气势宏大,唐朝诗人称赞它"一览众山小"(即许多山在泰山跟前都显得小了)。泰山的出名,并不仅因为它高,更主要是因为它悠久的历史文化,历代帝王纷纷来这里祭拜天地,加上风光优美,又是佛教胜地,所以颇为吸引人。

"自古华山一条路",西岳华山以险峻著称。其三座主峰被人们称为"天外三峰",其雄奇险峻可想而知。

中岳嵩山位于河南登封,天下名刹少林寺就座落在这里。嵩山的名胜古迹还有达摩洞、嵩岳寺、嵩阳书院等。嵩山的传说很多,最有趣的是嵩阳书院的古柏。传说汉朝皇帝刘彻来嵩山书院时,见到一株古老的柏树,惊叹不已,封它为"大将军";不久又见到另一株大一倍的古柏,但由于前边已封过大将军,于是只好委屈这棵树,封它为"二将军"。皇帝走后。"大将军"好不得意,竟然笑弯了腰,"二将军"则气得肚皮都炸开了,到今天它的树洞中还可容数人进出呢。

南岳衡山在湖南中部,这里有千年古树、奇花异草、飞流瀑布、古庙亭台,是游览胜地。

北岳恒山在山西大同附近,被称为"塞北第一山"。山势险峻,群峰屹立,很是壮观。恒山有许多美丽的传说,也有许多历史遗迹。

The Five Mountains

The poem "Famous mountains under the sun, Buddhist occupation most" describes the fact that most of the famous mountains are occupied by Buddhism. This is really true, because the Five Mountains are actually all Buddhist resorts.

The eastern mountain, called Taishan Mountain, is located in the center of Shandong Province. It rises straight from the ground with great momentum. A well-known poet in Tang Dynasty once wrote, "A bird's view of tiny hills," meaning that all mountains would seem so small when they stand by Taishan Mountain. Taishan Mourtain is famous, not only for its height, bur for its surrounding historical culture of a long history, for its picturesque natural scenery, and Buddhist spots, and also for the fact that it was the place where generations of kings and emperors used to come to worship the Heaven.

The western mountain, called Huashan Mountain, is well-known for its steepness and precipice, "Only one winding path on Huashan Mountain," as the saying goes. Its three main peaks are called "Three Peaks beyond the Sky." From these, one can imagine how dangerously steep and precipitous it is!

The central mountain, called Songyue Mountain, lies in

最新实用汉语口语

Dengfeng, Henan Province, where the world-famous Buddhist temple, Shaolin Temple, is located. Amongst the places of the historical interests and scenic spots in Songshan Mountain are Damo Cave, Songyue Temple, and Songyang Academy, etc.. There are quite a few legendary stories about Songshan Mountain, with the most interesting being the two old cypresses. It is said that Liu Che, the emperor of the Han Dynasty, was astonished to see an old cypress when he came to the Songyang Academy. He conferred on it the title of "the Great General." Soon he saw another old cypress which was twice as big as the previous one. But as the title of "the Great General" had already gone to the first cypress, he had but the title "the Secondary General" to confer on the second tree. After the emperor was gone, "the Great General" was so proud of the title that it laughed madly until it bent down. "The Secondary General," however, was swollen with so much anger that its belly exploded right in the middle. Today the big hole formed in the tree after that explosion still holds a number of visitors.

The southern mountain, called Hengshan Mountain, is situated in the central part of Hunan Province. It is a scenic spot with old trees, thousands of years old, with rare and unusual flowers and grasses, flowing streams, magnificent waterfalls, and ancient temples and pavilions.

The northern mountain, called Hengshan Mountain, is

located near Datong, Shanxi Province. It is named "The First Mountain at the North of the Great Wall" for its loftiness and steepness. The mountain peaks stand straight, forming a magnificent view of eternal beauty. On Hengshan Mountain there are to be heard a lot of beautiful legends and are to be found a great deal of historical remains.

(translated by Dai Canyu)

Dì-èrshíwǔ kè   Tán chuántǒng jiérì
第二十五课   谈 传统 节日
Lesson 25   Talking about the
Traditional Festivals

一、句子 Sentences

Zhōngguó yǒu xǔduō chuántǒng jiérì.

651. 中国 有 许多 传统 节日。

There ane many traditional festivals in China.

Chūn Jié shì Zhōngguórén zuì zhòngyào de jiérì.

652. 春节 是 中国人 最 重要 的 节日。

The Spring Festival is the most important festival of Chinese people.

Nónglì làyuè sānshí, jiào chúxī.

653. 农历 腊月 三十, 叫 除夕。

The 30th of the lunar 12th month is called the lunar New Year's Eve.

Quán jiā rén gāogāo-xìngxìng de tuánjù zài yīqǐ.

654. 全 家 人 高高兴兴 地 团聚 在 一起。

All the family members are reunited happily.

655. Chúxī quán jiā yào chī tuányuán fàn, wǎnshang hái yào
除夕 全 家 要 吃 团圆 饭, 晚上 还要
chī jiǎozi.
吃 饺子。

The whole family enjoys a big family reunion dinner on the New Year's Eve, and they have some dumplings at midnight.

656. Zhēngyuè chū-yī dàjiā jiànmiàn shí dōu hùxiāng bàinián.
正月 初一 大家 见面 时 都 互相 拜年。

Everybody says "Happy New Year" when they see each other on the lunar New Year's Day.

657. Jiājiā-hùhù dōu fàng biānpào.
家家户户 都 放 鞭炮。

Every family lets off firecrackers.

658. Guò nián zhīqián, rénmen bǎ wūzi dǎsǎo de
过 年 之前, 人们 把 屋子 打扫 得
gāngān-jìngjìng.
干干净净。

People clean their homes neat and tidy before the New Year.

659. Rénmen zhǔnbèihǎo gèzhǒng-gèyàng hǎochī de dōngxi.
人们 准备好 各种各样 好吃 的 东西。

People prepare all kinds of nice food.

Zhēngyuè shíwǔ shì Yuánxiāo Jié, yě jiào Dēng Jié.

660. 正月 十五 是 元宵 节,也 叫 灯节。

The 15th of the lunar first month is the Lantern Festival. It is also called "*Deng Jie*" (which also means the Lantern Festival)

Nánfāngrén chī tāngyuán, běifāngrén chī yuánxiāo.

661. 南方人 吃 汤圆, 北方人 吃 元宵。

The southerners eat soup dumplings and the northerners eat sweet dumplings.

Sìyuè wǔ hào shì Qīngmíng Jié, yào gěi qīnrén sǎomù.

662. 四月 五 号 是 清明 节,要 给 亲人 扫墓。

The 5th of April is the Pure Brightness Festival. People go to the tombs to commemorate the dead of their family.

Qīngmíng Jié Zhōngguórén hái yǒu tàqīng de xíguàn,

663. 清明 节 中国人 还有 踏青 的 习惯,

tàqīng yě jiào chūnyóu.

踏青 也 叫 春游。

The Chinese people have the custom of country excursion at Qingming, which is also called spring outing.

Rénmen dào jiāowài, hūxī xīnxian kōngqì, xīnshǎng měilì

664. 人们 到 郊外,呼吸 新鲜 空气, 欣赏 美丽

de dàzìrán.

的 大自然。

People come to the countryside around the city to breathe the fresh air and enjoy the beauty of nature.

Duānwǔ Jié yě jiào Duānyáng Jié, zài nónglì wǔyuè
665. 端午 节 也 叫 端阳 节，在 农历 五月
chū-wǔ.
初五。
The 5th of the lunar 5th month is the Dragon Boat Festival (also called *Duanyang* Festival).

Duānwǔ Jié chī zòngzi shì wèile jìniàn àiguó shīrén
666. 端午 节 吃 粽子 是 为了 纪念 爱国 诗人
Qū Yuán.
屈 原。
People eat *zongzi* to commemorate the patriotic poet Qu Yuan on the Dragon Boat Festival.

Hěn duō dìfang dōu jǔxíng huá lóngzhōu bǐsài.
667. 很 多 地方 都 举行 划 龙舟 比赛。
The dragon boat regattas are held at many places.

Wǒ kànguo qùnián de Xiānggǎng guójì lóngzhōu dàsài.
668. 我 看过 去年 的 香港 国际 龙舟 大赛。
I watched the Hongkong International Dragon Boat Race last year.

Yīnwèi bāyuè shíwǔ shì qiūjì de zhèngzhōng, suǒyǐ jiào
669. 因为 八月 十五 是 秋季 的 正中，所以 叫

Zhōngqiū Jié.
中秋 节。

Because the 15th of the lunar 8th month is the middle of autumn,
that day is called the Mid-Autumn Festival.

Zhōngqiū de yuèliang yòu dà yòu yuán.
670. 中秋 的 月亮 又 大 又 圆。
The moon is big and full on the Mid-Autumn Festival.

Rénmen yībiān shǎng yuè, yībiān chī yuèbǐng.
671. 人们 一边 赏 月,一边 吃 月饼。
People enjoy their moon cakes as they enjoy the moon.

Nǐ gěi wǒmen jiǎngjiang "Cháng'é bēnyuè" de gùshi ba.
672. 你 给 我们 讲讲 "嫦娥 奔月" 的 故事 吧。
Could you tell us the story "Chang'e Flies to the Moon," please?

Rénmen dōu chuān de zhěngzhěng-qíqí, dǎban de
673. 人们 都 穿 得 整整齐齐,打扮 得
piàopiào-liàngliàng de.
漂漂亮亮 的。
Everybody is tidily and smartly dressed up.

Zhèxiē chuántǒng jiérì, xiàng Chūn Jié、Zhōngqiū Jié dōu
674. 这些 传统 节日,像 春节、中秋 节 都
hěn yǒu yìsi.
很 有 意思。

These traditional festivals, such as the Spring Festival, the Mid-Autumn Festival, are all very interesting.

Wǒ hěn xǐhuan nà zhǒng rèrè-naonao de qìfēn.
675. 我 很 喜欢 那 种 热热闹闹 的 气氛。
I love this kind of lively atmosphere.

二、词语 New Words and Phrases

1. 传统	(名)	chuántǒng	tradition, traditional
2. 节日	(名)	jiérì	festival
3. 春节	(专)	Chūn Jié	the Spring Festival
4. 农历	(名)	nónglì	the traditional Chinese calendar; the lunar calendar
5. 腊月	(名)	làyuè	the twelfth month of the lunar year
6. 除夕	(名)	chúxī	New Year's Eve
7. 团聚	(动)	tuánjù	to reunite; reunion
8. 团圆	(形)	tuányuán	reunion
9. 团圆饭	(名)	tuányuán fàn	family reunion dinner
10. 正月	(名)	zhēngyuè	the first month of the lunar year
11. 初		chū	(a prefix)

12. 正月初一		zhēngyuè chū-yī	the lunar New Year's Day
13. 互相		hùxiāng	each other
14. 拜年		bàinián	pay a New Year call; wish sb. a Happy New Year
15. 家家户户		jiājiā-hùhù	each and every family; every household
16. 放	(动)	fàng	to let off; to give out
17. 鞭炮	(名)	biānpào	firecrackers; a string of small firecrackers
18. 人们	(代)	rénmen	people; men; the public
19. 屋子	(名)	wūzi	room; house
20. 打扫	(动)	dǎsǎo	to sweep; to clean
21. 干干净净		gāngān-jìngjìng	clean; neat and tidy
22. 各种各样		gèzhǒng-gèyàng	all kinds of
23. 元宵节	(专)	Yuánxiāo Jié	the Lantern Festival
24. 灯节	(专)	Dēng Jié	the Lantern Festival
25. 南方人	(名)	nánfāngrén	southerner
26. 北方人	(名)	běifāngrén	northerner
27. 汤圆	(名)	tāngyuán	stuffed dumplings made of glutinous rice flour served in soup
28. 元宵	(名)	yuánxiāo	sweet dumplings made of glutinous rice flour (for the

Lantern Festival）

29.清明	（专）	Qīngmíng	Pure Brightness（the 5th solar term）
30.清明节	（专）	Qīngmíng Jié	Pure Brightness Festival
31.亲人	（名）	qīnrén	one's family members
32.扫墓	（动）	sǎomù	sweep a grave（pay respects to a dead person at his or her tombs）
33.踏青	（名）	tàqīng	go for a walk in the country in spring（when the grass has just turned green）
34.习惯	（名）	xíguàn	habit; custom
35.春游	（名）	chūnyóu	spring outing
36.郊外	（名）	jiāowài	the countryside around a city; outskirts
37.空气	（名）	kōngqì	air
38.欣赏	（动）	xīnshǎng	to enjoy; to admire; to appreciate
39.美丽	（形）	měilì	beautiful
40.大自然	（名）	dàzìrán	nature
41.端午节	（专）	Duānwǔ Jié	the Dragon Boat Festival（the 5th of the 5th lunar month）
42.端阳节	（专）	Duānyáng Jié	the Dragon Boat Festival
43.粽子	（名）	zòngzi	a pyramid-shaped dumpling made of glutinous rice wrapped in bamboo or reed

			leaves（eaten during the Dragon Boat Festval）
44. 爱国	（动）	àiguó	love one's country; be patriotic
45. 诗人	（名）	shīrén	poet
46. 屈原	（专）	Qū Yuán	Qu Yuan（name of a poet）
47. 举行	（动）	jǔxíng	to hold（a meeting, ceremony, etc.）
48. 划	（动）	huá	to paddle; to row
49. 龙舟	（名）	lóngzhōu	dragon boat
50. 比赛	（名）	bǐsài	match; competition
51. 秋季	（名）	qiūjì	autumn
52. 正中	（名）	zhèngzhōng	middle; centre
53. 中秋节	（专）	Zhōngqiū Jié	the Mid-Autumn Festival（the 15th of the 8th lunar month）
54. 月亮	（名）	yuèliang	the moon
55. 圆	（形）	yuán	round
56. 一边… 一边…		yībiān… yībiān…	at the same time
57. 赏	（动）	shǎng	to enjoy; to admire
58. 月饼	（名）	yuèbǐng	moon cake（esp. for the Mid-Autumn Festival）
59. 嫦娥	（专）	Cháng'é	the goddess of the moon
60. 嫦娥奔月		Cháng'é	the legend in which Chang'e

		bēnyuè	swallowed elixir stolen from her husband and flew to the moon
61.故事	(名)	gùshi	story
62.整整齐齐		zhěngzhěng- qíqí	neatly; tidily
63.打扮	(动)	dǎban	to dress up; to make up; to deck out
64.漂漂亮亮		piàopiào- liangliang	beautiful; pretty
65.像	(动)	xiàng	such as; like
66.热热闹闹		rèrè-naonao	lively; bustling with noise and excitement
67.气氛	(名)	qìfēn	atmosphere

三、会话 Dialogues

(一)

Nǐ zài Zhōngguó guòguo nián ma?

A: 你 在 中国 过过 年 吗?

Have you ever spent the New Year in China?

Qùnián Chūn Jié shì zài wǒ péngyou jiā guò de.

B: 去年 春节 是 在 我 朋友 家 过 的。

I spent the Spring Festival at my friend's home last year.

Nǐmen zěnme guò de?

A: 你们 怎么 过 的?

How did you celebrate?

Quán jiā rén zài yīqǐ chī tuányuán fàn, wǎnshang

B: 全 家 人 在 一起 吃 团圆 饭, 晚上

shǒusuì.

守岁。

The whole family was reunited to have a big reunion dinner and stayed up all night on the New Year's Eve.

Chī jiǎozi le ma?

A: 吃 饺子 了 吗?

Did you eat dumplings?

Dāngrán chī le.

B: 当然 吃 了。

Of course we did.

Fàng biānpào le ma?

A: 放 鞭炮 了 吗?

Did you let off firecrackers?

Fàngle hěn duō biānpào, hái fàngle bù shǎo lǐhuā.
B: 放了 很 多 鞭炮, 还 放了 不 少 礼花。
We let off a lot of firecrackers, and many fireworks too.

Nǐ yǒu méi yǒu dé yāsuìqián?
A: 你 有 没 有 得 压岁钱?
Did you get any money as the New Year's gift?

Dé le, wǒ péngyou de fùmǔ yīdìng yào gěi wǒ.
B: 得了, 我 朋友 的 父母 一定 要 给 我。
Yes, my friend's parents insisted on giving me the money.

Yīnwèi nǐ hái méi yǒu jiéhūn, hái bèi dàngchéng shì yī gè
A: 因为 你 还 没 有 结婚, 还 被 当成 是 一 个
háizi.
孩子。
You were regarded as a child since you haven't got married.

Zhèxiē fēngsú zhēn yǒu yìsi.
B: 这些 风俗 真 有 意思。
These customs are really interesting.

(二)

Nǐ xǐhuan Zhōngguó de nǎge jiérì?
A: 你 喜欢 中国 的 哪个 节日?
Which traditional festival of China do you like most?

Wǒ zuì xǐhuan Duānwǔ Jié hé Zhōngqiū Jié.
B: 我 最 喜欢 端午 节 和 中秋 节。

I like the Dragon Boat Festival and the Mid-Autumn Festival most.

Wèi shénme ne?
A: 为 什么 呢?

Why?

Wǒ hěn xǐhuan lóngzhōusài, lóng shì Zhōngguó de
B: 我 很 喜欢 龙舟赛, 龙 是 中国 的
xiàngzhēng.
　象征。

I like the dragon boat race because dragon is the symbol of China.

Nà wèi shénme xǐhuan Zhōngqiū Jié ne?
A: 那 为 什么 喜欢 中秋 节 呢?

Why do you like the Mid-Autumn Festival?

Yīnwèi wǒ ài chī yuèbǐng.
B: 因为 我 爱 吃 月饼。

Because I like moon cakes.

Ài chī nǎ zhǒng?
A: 爱 吃 哪 种?

Which kind do you perfer to?

Ài chī tián de, xiàng liánróng yuèbǐng、dòushā yuèbǐng děng
B: 爱 吃 甜 的, 像 莲茸 月饼、豆沙 月饼 等
wǒ dōu xǐhuan chī.
我 都 喜欢 吃。

I like something sweet, such as the lotus paste moon cake and the
bean paste moon cake.

Nǐ tīngguo Cháng'é bēnyuè de chuánshuō ma?
A: 你 听过 嫦娥 奔月 的 传说 吗?
Have you heard the legend about Chang'e Flies to the Moon?

Tīngguo. Cháng'é zài yuèliang lǐmìan yīdìng hěn jìmò.
B: 听过。嫦娥 在 月亮 里面 一定 很 寂寞。
Yes, I have. Chang'e must be lonely in the moon, I think.

Xìngkuī hái yǒu yī zhī tùzi péizhe tā.
A: 幸亏 还 有 一 只 兔子 陪着 她。
Fortunately she has a white rabbit with her.

四、补充词语
Supplementary New Words and Phrases

1. 守岁   shǒusuì   stay up late or all night on New Year's Eve

2. 礼花 （名） lǐhuā   fireworks display

3.压岁钱	（名）	yāsuìqián	money given to children as a lunar New Year's gift
4.被	（介）	bèi	(mark of the passive)
5.当成	（动）	dàngchéng	treat as; regard as
6.风俗	（名）	fēngsú	custom
7.龙	（名）	lóng	dragon
8.象征	（名）	xiàngzhēng	symbol; emblem
9.莲茸	（名）	liánróng	lotus paste
10.豆沙	（名）	dòushā	sweetened bean paste
11.传说	（名）	chuánshuō	legend
12.寂寞	（形）	jìmò	lonely; lonesome
13.幸亏	（副）	xìngkuī	fortunately; luckily
14.兔子	（名）	tùzi	rabbit
15.年糕	（名）	niángāo	New Year cake（made of glutinous rice flour）
16.春联	（名）	chūnlián	Spring Festival couplets（pasted on gateposts or door panels）; New Year scrolls
17.猜	（动）	cāi	to guess
18.谜	（名）	mí	riddle
19.舞	（动）	wǔ	to dance
20.狮子	（名）	shīzi	lion
21.龙灯	（名）	lóngdēng	dragon lantern
22.水果	（名）	shuǐguǒ	fruit

23. 苹果	（名）	píngguǒ	apple
24. 香蕉	（名）	xiāngjiāo	banana
25. 柚子	（名）	yòuzi	shaddock；pomelo
26. 桃子	（名）	táozi	peach
27. 西瓜	（名）	xīguā	watermelon
28. 龙眼	（名）	lóngyǎn	longan
29. 荔枝	（名）	lìzhī	litchi

五、练习 Exercises

1. 替换练习：Subsititution drills：

Nóngli làyuè sānshí, jiào chúxī.

1) 农历 <u>腊月 三十</u>，叫 <u>除夕</u>。

zhēngyuè chū-yī 正月 初一	Chūn Jié 春 节
zhēngyuè shíwǔ 正月 十五	Yuánxiāo Jié 元宵 节
wǔyuè chū-wǔ 五月 初五	Duānwǔ Jié 端午 节
bāyuè shíwǔ 八月 十五	Zhōngqiū Jié 中秋 节

Rénmen yìbiān shǎng yuè, yìbiān chī yuèbǐng.
2）人们 一边 赏月，一边 吃 月饼。

bìngrén	dǎzhēn	chīyào
病人	打针	吃药
tāmen	xué Yīngyǔ	xué Rìyǔ
她们	学 英语	学 日语
wǒ	gōngzuò	xuéxí
我	工作	学习
wǒ péngyou	késou	chōu yān
我 朋友	咳嗽	抽 烟

2. 用所给词语造句：

Make sentences with the given words：

　　gānjìng　　Rénmen bǎ wūzi dǎsǎo de gāngān-jìngjìng.
例：干净→ 人们 把 屋子 打扫 得 干干净净。

zhěngqí
1）整齐

piàoliang
2）漂亮

rènao
3）热闹

gāoxìng
4）高兴

qīngchu
5）清楚

3. 完成下列对话：Complete the following dialogues：

例：
Cháng'é zài yuèliang lǐmiàn yīdìng hěn jìmò.
A: 嫦娥 在 月亮 里面 一定 很 寂寞。

Xìngkuī hái yǒu yī zhī tùzi péizhe tā.
B: 幸亏 还 有 一 只 兔子 陪着 她。

Xià yǔ le.
1) A: 下 雨 了。

Xìngkuī
B: 幸亏 _____。

Zuìjìn chēpiào hěn jǐnzhāng.
2) A: 最近 车票 很 紧张。

Xìngkuī
B: 幸亏 _____。

Lǎoshī shuō míngtiān xiàwǔ yào kǎoshì.
3) A: 老师 说 明天 下午 要 考试。

Xìngkuī
B: 幸亏 _____。

Chīle nà zhǒng qīngcài de rén dōu shíwù
4) A: 吃了 那 种 青菜 的 人 都 食物
zhòngdú le.
中毒 了。

Xìngkuī
B: 幸亏 _____。

4. 口头回答问题：

Answer the following questions in oral：

Zhōngguó yǒu nǎxiē chuántǒng jiérì?
1) 中国 有 哪些 传统 节日？

Nǐ zuì xǐhuan nǎge jiérì?
2) 你 最 喜欢 哪个 节日？

Chūn Jié yǒu nǎxiē fēngsú xíguàn?
3) 春 节 有 哪些 风俗 习惯？

Zhōngqiū Jié yǒu shénme yàng de měilì chuánshuō?
4) 中秋 节 有 什么 样 的 美丽 传说？

Nǐ zuì xǐhuan nǎ zhǒng chuántǒng shípǐn?
5) 你 最 喜欢 哪 种 传统 食品？

Wèi shénme?
为 什么？

附录

春　节

　　春节，是中国最重要的传统节日，指的是农历新年正月初一。"一年之计在于春"，一年二十四个节气中的"立春"（二月四日）正好在农历新年前后，所以，人们把农历新年叫做春节。

　　大多数中国人喜欢把"春节"叫做"过年"。一提起过年，人们心中马上会荡漾起无限温馨和热烈甜美的感觉：一进入腊月便开始置办年货，应有尽有；全家人一齐动手把里里外外收拾得干干净净，漂漂亮亮；各种美味佳肴，香气四溢。最为高兴的是孩子们，他们无拘无束地跑着、闹着、玩着、笑着，等待了一年的种种愿望尽可以在过年的时候得到满足。上上下下、时时处处，就连空气中也都充满着喜气洋洋的节日气氛。

　　按照中国的古老习俗，春节期间重在团聚，游子们从四面八方赶回家中与亲人团聚，吃年饭，过团圆年。同时，家家户户都有守岁、拜年、贴春联、吃饺子、吃年糕、放鞭炮等习俗。

　　守岁是指大年除夕之夜，人们伴着"长明灯"，整夜不睡，等待天明，在这"一夜连双岁，五更分二年"的具有象征意义的特殊时刻，共享心中的喜悦与希望。

　　吃饺子，最为普遍，也最为讲究。"饺子"即为"更岁交子"之意，指的是新旧交替以"子时"为界，在子时（即除夕之夜的"零点"）吃过饺子，就算过了年了。新年伊始，人们纷纷串门访友，带去各自的问候和祝福，其乐融融地互相"拜年"。

　　"吃年糕，步步高，一年更比一年好。"吃年糕跟吃饺子一样，都取其象征圆满、吉祥之意。

　　贴春联、放鞭炮都是为了烘托新春佳节的节日气氛的，辞旧迎新，喜气洋洋。"爆竹声中辞旧岁，春联字里迎新年。"如今，城市里不许放鞭炮了，但人们仍以各种各样的形式，喜气洋洋地过着每一个年呢！

The Spring Festival

The Spring Festival, the most important traditional festival in China, refers to the first day of the first lunar month. "A year's plan is in the Spring." As the Beginning of Spring, one of the 24 solar terms (about Feb. 4th,) falls right around the lunar New Year, it is therefore also called the Spring Festival.

Most Chinese are accustomed to calling the Spring Festival as "the New Year." To a Chinese, a mere mention of the term "New Year" can be very suggestive of feelings of softness and sweetness, of warmth and pleasance. When the twelfth lunar month comes, the Chinese begin to do Spring Festival shopping of a wide variety. The whole family, men and women, old and young, take part in a thorough cleaning both in and out of the house. The air is filled with fragrance from all kinds of delicacies. The happiest are the children, who keep playing, laughing and frolicking, running around, and making noise. Their wishes and desires that have been kept for a whole year can now be realized. Everywhere, here and there, up and down, even the air, seems to be overwhelmed in an atmosphere of a happy festival.

The Chinese tradition attaches great importance to the family reunification during the Spring Festival. The sons and daughters that travel or reside far away will return home from all directions to have a family reunification. They eat the so called "Eve-dinner" together as a symbol of a whole year of unification. Every family stays up late into the night to see the old year out and the New Year in. They pay New Year calls to each other, paste New Year couplets on gateposts, eat "*jiaozi*" and New Year Cake and set off firecrackers.

The term "*shousui*" refers to a traditional custom in China, that, on the New Year's Eve, the Chinese stay up late and keep sleepless for the whole night under the "Ever-burning Lamp," waiting for the New Year to turn up. At this special moment which symbolizes the linking point of the two years, all the Chinese hearts can not but be filled with jubilance and hope.

To eat "*jiaozi*" is a popular custom on the Spring Festival. The term "*jiaozi*" means the exchange point between two years. Therefore, when it is eaten at exactly the midnight of the Eve, it embodies a smooth replacement of the old year by the New Year. As the New Year comes, the Chinese begin to pay each other visits and send New Year greetings and benedictions to their relatives and friends.

"To eat '*niangao*,' you will climb one step higher with

each coming year," so reads one of the children's songs. The term "*niangao*", meaning New Years's Cake, has also a meaning of making progress in the New Year. Therefore, when "*niangao*" is eaten, it betokens a greater progress in the New Year.

To paste Spring Festival couplets on gateposts and to set off firecrackers are for the purpose of creating a New Year atmosphere of warmth and happiness. As one of the couplets goes, "A Farewell to the Old Year in Firecrackers and a Hello to the New Year in Couplet Words." Nowadays, firecrackers are already banned in cities, but the Chinese still celebrate each New Year in a variety of ways.

(translated by Dai Canyu)

中国传统节日

中国一年中有许多传统节日。在这些节日中，春节是最隆重的节日。除春节之外，还有元宵节、清明节、端午节、中秋节和重阳节等重要节日。

元宵节：农历正月十五是元宵节，亦称灯节。相传元宵节起于汉代。元宵节的主要活动是张灯、观灯、猜灯谜、吃元宵、舞龙、舞狮子等。

清明节：清明节一般在农历二月中，阳历四月五日前后。清明节的主要活动是扫墓。扫墓是中国人祭奠已故祖先和亲人的一种方式，无论古今，中国人对清明节扫墓的习俗都极为重视。另一项活动是踏青，现在一般叫春游。

端午节：农历五月初五是端午节。端午节的来历是为了纪念战国时期楚国爱国诗人屈原。这一天，人们要吃粽子，还要赛龙舟。

中秋节：农历八月十五是中秋节。八月十五的月亮最圆，人们因月圆联想到家人团圆，所以中秋节又称团圆节。人们在中秋节的晚上，全家人在一起一边赏月，一边吃月饼。

重阳节：农历九月初九是重阳节。中国人自古把"九"看成阳数，九月九日是两个阳数相重，故称重阳，又叫重九。重阳节的习俗是登高、饮菊花酒、带茱萸等。

The Traditional Festivals in China

There are many traditional festivals in China during the year and the Spring Festival is the most important one. Other important traditional festivals, besides the Spring Festival, are the Lantern Festival, the Qingming Festival, the Dragon Boat Festival, the Mid-Autumn Festival, and the Double Ninth Festival.

The Lantern Festival is called Yuánxiāo Jié or Dēng Jié in Chinese. It is said that people began to celebrate the Lantern Festival during the Han Dynasty (206 B. C.—A. D. 220). The main activities during the Lantern Festival are hanging lanterns, enjoying lanterns, guessing lantern riddles, eating sweet dumplings, dragon dances, lion dances, etc..

The Qingming Festival usually occurs in the middle of the 2nd lunar month, or about the 5th of solar April. The main activity is sweeping graves, which is the way of Chinese people to pay their respects to their ancestors and the dead of their family at his or her tombs. The Chinese people attach great importance to such a custom of sweeping graves during the Qingming Festival, whether in ancient times or modern times. Another activity is to go for a walk in the country on Qingming, which is now called the spring outing.

The Dragon Boat Festival is on the 5th of the 5th lunar month. The origin of this festival is to commemorate Qu Yuan, the patriotic poet of Chu Kingdom during the period of the Warring States (403—221 B.C.). People eat zòngzi (a pyramid-shaped dumpling made of glutinous rice wrapped in bamboo or reed leaves) and hold dragon-boat races on the day of the Dragon Boat Festival.

The Mid-Autumn Festival is on the 15th of the 8th lunar month. The moon of the 15th of the 8th lunar month is the fullest in the year. People think about the reunion of the family by looking at the fullest moon. So the Mid-Autumn Festival is also called the Festival of Family Reunion. All the families get together enjoying the full moon as well as eating the moon cakes at the night of the Mid-Autumn Festival.

The Double Ninth Festival is on the 9th of the 9th lunar month. Chinese people have considered that the numeral 9 is a masculine or positive figure since ancient times. The 9th of the 9th lunar month has two masculine or positive figures, so people call that day the Double Masculine Festival, or just the Double Ninth Festival. The customs of this festival are ascending heights, drinking chrysanthemum wine, wearing cornel, etc..

Dì-èrshíliù kè   Zuò fēijī

第二十六课　坐飞机

Lesson 26　Taking an Airplane

一、句子 Sentences

Wǒ xiǎng dìng yī zhāng fēijī piào.

676. 我 想 订 一 张 飞 机 票。

I'd like to reserve an air ticket.

Nín xiǎng dìng nǎge hángkōng gōngsī de piào?

677. 您 想 订 哪个 航空 公司 的 票？

Which airline's ticket do you want to book?

Nǐ dìng tóuděng cāng háishi jīngjì cāng?

678. 你 订 头等 舱 还是 经济 舱？

Do you want first class or economy class?

Yǒu méi yǒu láihuí piào?

679. 有 没 有 来回 票？

Do you have roundtrip ticket?

Míngtiān yǒu méi yǒu qù Wūlǔmùqí de hángbān?

680. 明天 有 没 有 去 乌鲁木齐 的 航班?

Will there be any flight to Ürümqi tomorrow?

Fēijī jǐ diǎnzhōng qǐfēi?

681. 飞机 几 点钟 起飞?

What time does the plane take off?

Qù Lánzhōu de hángbān shì duōshao hào?

682. 去 兰州 的 航班 是 多少 号?

What's the number of the flight for Lanzhou?

Dǎ diànhuà wènwen shòupiàochù, kàn hái yǒu méi yǒu

683. 打 电话 问问 售票处, 看 还 有 没 有

kòngwèi.

空位。

Call the ticket office to see if there's any vacancy.

Wǒ bìxū zài fēijī qǐfēi qián bàn xiǎoshí bànwán

684. 我 必须 在 飞机 起飞 前 半 小时 办完

dēngjī shǒuxù.

登机 手续。

I have to check in half hour before the plane takes off.

Qù Guìlín zài nǎr bàn dēngjī shǒuxù?

685. 去 桂林 在 哪儿 办 登机 手续?

Where is the check-in counter for Guilin?

Wǒ shì tóu yī cì zài Zhōngguó zuò fēijī.

686. 我 是 头一次 在 中国 坐飞机。

This is my first flight in China.

Wǒmen jīntiān néng fēi ma?

687. 我们 今天 能 飞 吗?

Can we fly today?

Nà yào kàn tiānqì zěnmeyàng le.

688. 那 要 看 天气 怎么样 了。

That will depend on the weather.

Chéngzuò　sānjiǔyāoyāo　hángbān　fēiwǎng　Sānyà　de

689. 乘坐　　3911　　航班　飞往　三亚　的

chéngkè, qǐng cóng èr hào mén dēngjī.

乘客, 请 从 2 号 门 登机。

Flight 3911 for Sanya will be leaving at Gate 2.

Qǐng jìhǎo ānquándài.

690. 请 系好 安全带。

Fasten your safety belts.

Jìnzhǐ xīyān!

691. 禁止 吸烟!

No Smoking Allowed!

Kōngzhōng xiǎojiě shuō nǐ kěyǐ huàn wèizi.

692. 空中 小姐 说 你 可以 换 位子。

The stewardess said you can change your seat.

Fēixíng gāodù shì yī wàn mǐ.

693. 飞行 高度 是 一 万 米。

The flying altitude is 10,000 metres.

Kōngjiě zhèngzài jiāo chéngkè rúhé shǐyòng jiùshēngyī.

694. 空姐 正在 教 乘客 如何 使用 救生衣。

The stewardess is giving instructions on how to use the life jackets.

Wǒ kùn le, xiǎng shuì yīhuìr.

695. 我 困 了，想 睡 一会儿。

I'm sleepy and I want take a nap.

Wǒ yǒu diǎnr yùnjī.

696. 我 有 点儿 晕机。

I'm airsick.

Fēijī néng zhǔnshí dào Chóngqìng ma?

697. 飞机 能 准时 到 重庆 吗？

Will the flight arrive in Chongqing on time?

Hángbān wǎndiǎn le.

698. 航班 晚点 了。

The flight is delayed.

Fēijī zhèngzài jiàngluò.
699. 飞机 正在 降落。
The plane is landing.

Xiè tiān xiè dì! wǒmen zhōngyú dào le!
700. 谢 天 谢 地! 我们 终于 到 了!
Thank goodness, we arrived at last!

二、词语 New Words and Phrases

1. 航空公司		hángkōng gōngsī	airlines
2. 头等舱	(名)	tóuděng cāng	first-class cabin
3. 经济舱	(名)	jīngjì cāng	economy class
4. 来回票	(名)	láihuí piào	roundtrip ticket
5. 乌鲁木齐	(专)	Wūlǔmùqí	Ürümqi
6. 航班	(名)	hángbān	flight
7. 起飞	(动)	qǐfēi	to take off
8. 兰州	(专)	Lánzhōu	Lanzhou
9. 售票处	(名)	shòupiàochù	ticket office
10. 登机手续		dēngjī shǒuxù	check in (at airport)
11. 桂林	(专)	Guìlín	Guilin
12. 头		tóu	first

13. 飞	(动)	fēi	to fly
14. 乘客	(名)	chéngkè	passenger
15. 三亚	(专)	Sānyà	Sanya
16. 系	(动)	jì	to tie; to fasten; to button up
17. 安全带	(名)	ānquándài	safety belt
18. 禁止	(动)	jìnzhǐ	to prohibit; to ban; to forbid
19. 吸	(动)	xī	to smoke
20. 空中小姐	(名)	kōngzhōng xiǎojiě	stewardess
21. 飞行	(名)	fēixíng	flying
22. 高度	(名)	gāodù	altitude; height
23. 空姐	(名)	kōngjiě	stewardess
24. 如何	(代)	rúhé	how; what
25. 使用	(动)	shǐyòng	to use
26. 救生衣	(名)	jiùshēngyī	life jacket
27. 困	(形)	kùn	sleepy
28. 晕机	(动)	yùnjī	airsick
29. 重庆	(专)	Chóngqìng	Chongqing
30. 降落	(动)	jiàngluò	to land
31. 谢天谢地		xiè tiān xiè dì	thank goodness
32. 终于	(副)	zhōngyú	finally; at last

三、会话 Dialogues

(一)

Xiǎojiě, qǐngwèn qù Hǎikǒu shì zài zhèr bàn dēngjī

A: 小姐，请问 去 海口 是 在 这儿 办 登机

shǒuxù ma?

手续 吗？

Miss, would you please tell me if I should check in here for Haikou?

Nǐ shì nǎge hángbān de?

B: 你 是 哪个 航班 的？

Which flight will you take?

Sānbālíngwǔ hángbān.

A: 3805 航班。

Flight 3805.

Shì zài zhèr bàn dēngjī shǒuxù. Qǐng bǎ nǐ de jīpiào hé

B: 是 在 这儿 办 登机 手续。请 把 你 的 机票 和

hùzhào gěi wǒ.

护照 给 我。

Yes, you should check in here. Show me your ticket and passport, please.

Néng bù néng gěi wǒ yī gè kào chuāng de zuòwèi?
A：能 不 能 给 我 一 个 靠 窗 的 座位?

Wǒ xiǎng kànkan fēngjǐng.
我 想 看看 风景。

Could you give me a seat by window? I'd like to watch the view.

Wǒ chácha, kàn hái yǒu méi yǒu kào chuāng de wèizi.
B：我 查查, 看 还 有 没 有 靠 窗 的 位子。

Ng, hái yǒu.
嗯, 还 有。

Let me see if there is any seat by window. Yes. there is.

Zhège hángbān shì shénme fēijī?
A：这个 航班 是 什么 飞机?

What plane is this flight?

Shì Bōyīn fēijī.
B：是 波音 飞机。

It's a Boeing.

Wǒ zhège xíngli bù dà, kěyǐ dàishàng fēijī ma?
A：我 这个 行李 不大, 可以 带上 飞机 吗?

My baggage isn't big, may I take it with me?

Kěyǐ.
B：可以。

Sure.

Miǎnshuì shāngdiàn zài   nǎr? Wǒ xiǎng mǎi diǎnr dōngxi.
A：免税   商店   在 哪儿?我 想 买 点儿 东西。
Where is the duty-free shop? I'd like to buy something.

Zài èr lóu, nǐ cóng nàr   chéng zìdòng fútī shàngqu.
B：在 二 楼，你 从 那儿 乘 自动 扶梯 上去。
On the second floor. You can take the escalator over there.

Xièxie.
A：谢谢。
Thank you.

(二)

Kuài zuòhǎo, fēijī jiù yào qǐfēi le.
A：快 坐好，飞机 就 要 起飞 了。
Take your seat, the plane is about to take off.

Ānquándài nǐ jìshàng le ma?
B：安全带 你 系上 了 吗?
Have you fastened your safety belt?

Jìshàng le. Nǐ kàn, kōngzhōng xiǎojiě zhèngzài gàosu
A：系上 了。你 看， 空中 小姐 正在 告诉
dàjiā rúhé shǐyòng jiùshēngyī.
大家 如何 使用 救生衣。
Yes, I have. Look, the stewardess is showing us how to use the
life jacket.

Jiùshēngyī zài nǎr?

B: 救生衣 在 哪儿?

Where is my life jacket?

Jiù zài nǐ tóudǐng shàng, yī àn ànniǔ jiù huì diào

A: 就 在 你 头顶 上, 一 按 按钮 就 会 掉

chulai.

出来。

It's just above your head, press the button and it will fall down.

Jīntiān zěnme zhème diānbǒ?

A: 今天 怎么 这么 颠簸?

Why is it so bumpy today?

Jīntiān tiānqì bù hǎo, wǒ yě yǒu diǎnr yùnjī.

B: 今天 天气 不 好,我 也 有 点儿 晕机。

The weather is not good, I'm a little airsick, too.

Zuì hǎo ràng kōngzhōng xiǎojiě ná diǎnr yùnjī yào lái.

A: 最 好 让 空中 小姐 拿 点儿 晕机药 来。

We'd better to ask the stewardess to get some airsick pills.

Gāng kāishǐ shí fēijī fēi de hěn píngwěn.

B: 刚 开始 时 飞机 飞 得 很 平稳。

The plane was smooth at first.

Xiànzài tiānqì biàn le, hěn yīnchén.

A：现在 天气 变 了，很 阴沉。

The weather has changed, and it's gloomy now.

Wǒ yǒu diǎnr kùn le, wǒ xiǎng chīle yùnjī yào jiù shuì

B：我 有 点儿 困 了，我 想 吃了晕机 药 就 睡

yīhuìr.

一会儿。

I'm sleepy, I want to take the airsick pills and then take a nap.

四、补充词语

Supplementary New Words and Phrases

1.海口	(专)	Hǎikǒu	Haikou
2.风景	(名)	fēngjǐng	view；scenery
3.查	(动)	chá	to check；to look into
4.波音	(专)	Bōyīn	Boeing
5.免税	(动)	miǎnshuì	tax-free；duty-free
6.免税商店	(名)	miǎnshuì shāngdiàn	duty-free shop
7.自动扶梯	(名)	zìdòng fútī	escalator
8.头顶	(名)	tóudǐng	the top of head
9.按	(动)	àn	to press；to push
10.按钮	(名)	ànniǔ	push button

11. 掉	(动)	diào	to fall
12. 颠簸	(形)	diānbǒ	bumpy
13. 晕机药	(名)	yùnjī yào	airsick pill
14. 平稳	(形)	píngwěn	smooth
15. 阴沉	(形)	yīnchén	cloudy; gloomy
16. 飞行员	(名)	fēixíngyuán	pilot
17. 发动机	(名)	fādòngjī	engine
18. 机翼	(名)	jīyì	wing
19. 跑道	(名)	pǎodào	runway
20. 候机室	(名)	hòujīshì	waiting room
21. 空中客车	(专)	Kōngzhōng Kèchē	Airbus
22. 直升机	(名)	zhíshēngjī	helicopter

五、练习 Exercises

1. 替换练习：Substitution drills：

　Chéngzuò　sānjiǔyāoyāo hángbān　fēiwǎng　Sānyà de
1) 乘坐　　3 9 1 1 航班　　飞往　三亚 的
　chéngkè, qǐng cóng èr hào mén dēngjī.
　乘客, 请 从 2 号 门 登机。

| èrliùwǔlíng hángbān
2 6 5 0　航班
sānwǔlíngbā hángbān
3 5 0 8　航班
sānsānlíngsì bānjī
3 3 0 4　班机
èr'èr sānbā hángbān
2 2 3 8　航班 | Shànghǎi
上海
Xī'ān
西安
Wūlǔmùqí
乌鲁木齐
Lánzhōu
兰州 | wǔ hào mén
5 号 门
qī hào mén
7 号 门
yī hào mén
1 号 门
bā hào mén
8 号 门 |

Kōngzhōng xiǎojiě shuō nǐ　kěyǐ　huàn wèizi.
2) 空中　小姐　说 你 可以　换 位子。

| shòupiàoyuán
售票员
fúwùyuán
服务员
sījī
司机
yīshēng
医生 | huàn piào
换票
huàn fángjiān
换 房间
shàng chē
上车
chī shuǐguǒ
吃 水果 |

2. 用所给词语造句：

Make sentences with the given words：

kùn shuì　　Wǒ kùn le, xiǎng shuì　yīhuìr
例：困，睡 → 我 困 了，想 睡 一会儿。

lèi　　xiūxi
1) 累，　休息

2)饿，　吃
　　è　　chī

3)渴，　喝
　　kě　　hē

4)头晕，坐
　　tóuyūn　zuò

5)感冒，躺
　　gǎnmào　tǎng

3. 用句型"一…就…"造句：

Make sentences with the pattern "一…就…"：

例：按，按钮，掉 → 一按按钮就会掉
　　àn　ànniǔ　diào　Yī àn ànniǔ jiù huì diào
出来。
chulai

1)病，去，医院
　bìng　qù　yīyuàn

2)吃，药，好
　chī　yào　hǎo

3)回来，放心
　huílai　fàngxīn

4)来，中国，学，汉语
　lái　Zhōngguó　xué　Hànyǔ

5)下，课，进城
　xià　kè　jìnchéng

4. 完成下列对话：Complete the following dialogues：

Zhège hángbān shì shénme fēijī?
1) A: 这个　航班　是　什么　飞机？

B: _____

Jiùshēngyī zài nǎr?
2) A: 救生衣　在　哪儿？

B: _____

Jīntiān zěnme zhème diānbǒ?
3) A: 今天　怎么　这么　颠簸？

B: _____

Wǒ yǒu diǎnr tóuyūn.
4) A: 我　有　点儿　头晕。

B: _____

敦煌莫高窟

敦煌在中国西部甘肃省的河西走廊，是古代"丝绸之路"的重要驿站。

敦煌莫高窟又名千佛洞，位于敦煌城东南25公里的鸣沙山上。1900年，在莫高窟发现了"藏经洞"，人们从洞中找到了从晋朝到宋朝（约4~10世纪）的近6万册历史文献，被人们称为本世纪三大考古发现之一。从此，敦煌美名远播，引起世界的注目。今天，敦煌因历史悠久、内容丰富、保存完整而被列入世界文化遗产保护单位。

敦煌石窟高五层，南北长1600米。从公元4世纪的前秦开始，人们不断地在这里开凿、修建佛像石窟，使这里成为中国最大的石窟群之一。目前，这里有洞窟492个，其中佛像2400多尊都是彩色泥塑。高的有几十米，小的只有十几厘米，造型都神态逼真、栩栩如生。另有壁画4.5万平方米，包括许多佛教故事。壁画中的"飞天"图像最为人们所津津乐道。

今天，人们根据莫高窟藏经洞里的文件与文物来研究4至10世纪的中国社会状况，并且把这种研究称为敦煌学。

Dunhuang Mogao Grottoes

Dunhuang lies in *Hexizoulang* (the Hexi Corridor) in the Gansu Province of the western part of China. It was one of the important stations on the Silk Road.

Dunhuang Mogao Grottoes, also called "Thousand Buddha Grottoes," is located on Mingsha Mountain, 25km Southeast of the Dunhuang City. In Mogao Grottoes were discovered the "Scriptures Storage Grottoes" in 1900, in which nearly 60,000 pieces of ancient documents and cultural relics from the Jin Dynasty to Song Dynasty (4th – 10th century) were found. This event is regarded as one of the three greatest discoveries of this century. Ever since then, Dunhuang has been well-known and has attracted attention from all over the world. Today, Dunhuang is listed in the World Cultural Relics Protection Units for its long history, rich content and perfect preservation.

The Dunhuang Grottoes have a height of 5 stories with a length of 1,600m from north to south. Ever since the Qian Qin Dynasty in the 4th century B.C., Buddhist clay sculptures had been continuously moulded to make the Dunhuang Grottoes into the largest grotto group in China. There are 492 grottoes in all, with 2,400 colored clay figures, the highest being 33 meters high, the smallest just over 10 centimeters. The shapes of the figures are vivid and true to life. There are also frescoes of 45,000m^2 telling numerous Buddhist stories, amongst which "Flying Apsaras" has always been on the lips of the people.

Today, people make use of the documents and cultural relics discovered in the Dunhuang Grottoes to make a research into the Chinese society of that time, and this research has actually been regarded as Dunhuangology.

(translated by Dai Canyu)

中 国 宗 教

中国人爱用"三教九流"这个成语来形容各种各样的人。三教指的就是中国的宗教流派儒家、道教和佛教。

严格来说，尽管儒家思想对中国社会有着长远的影响，但它并不是一种宗教。

道教起源于中国古代巫术，它奉古代哲学家老子为最高领袖。道教徒的理想是修炼成为神仙，在他们看来，神仙都是逍遥自在、永远不会死亡、且时时能够欣赏大自然秀丽风光的人，他们会腾云驾雾，能够在一天之内游遍天下，而且不吃人间的食物也丝毫不会影响身体健康。道教有着明显的远离尘俗世界、追求自由的思想，所以道教修炼的场所——道观多在深山之中，道士们希望服食用矿物质冶炼的丹药而成仙。

佛教于公元纪年前后传入中国，在经历了漫长的与中国文化的适应融合之后，到唐朝时大为兴盛，古代许多诗词中对佛教的兴盛都有反映。佛教对中国的影响极为深远，不但《西游记》唐僧取经的故事妇孺皆知，连许多词语都有佛教的痕迹。如"当头棒喝"、"天花乱坠"、"临急抱佛脚"等。西藏喇嘛教是佛教的一个分支。

在中国，伊斯兰教、基督教也有一定范围内的影响。

Religions in China

In describing different kinds of people, Chinese people often use the old saying "Three Religions and Nine Schools of thought," where the three religions refer to Confucianism, Taoism and Buddhism.

Strictly speaking, although Confucianism has its long influence on society in China, it is not a religion.

Taoism, at its early stage, was a kind of Chinese ancient sorcery and Taoists follow the teachings of Lao Zi, a Chinese ancient philosopher. The ideal of Taoists is to obtain immortality by means of meditation and their special regimen. To them, immortals were carefree and happy all the time and would never die. Being able to fly on clouds, immortals could travel round the world within a single day and enjoy the beautiful scenery of nature any time they liked. Also, they could do quite well without eating any food on earth. Taoists usually set up their temples and monasteries where they practiced meditation in remote mountains as they sought freedom by disengagment from the secular world. Taoists wished to obtain immortality by taking pellets that were made from minerals.

Buddhism first found its way into China around the Christian era and later became very popular in the Tang

Dynasty after centuries of intermingling with the Chinese culture. The popularity of Buddhism in the Tang Dynasty can be seen in poems and *ci* passed down from ancient times. The influence of Buddhism in China has been extremely wide and profound indeed. Not only is The Journey to the West, a story about the adventures of Xuanzang, the famous Buddhist monk in the Tang Dynasty during his journey to the west in search of Buddhist sutra , known to everyone in China, but traces of Buddhism can also be found in Chinese language today, such as in proverbs "dāng tóu bàng hè" (literal meaning is to hit somebody on the head with a stick, figurative meaning is as in Buddhism to arouse someone from his wrong faith), "tiān huā luàn zhuì" (literal meaning is the heavenly flowers falling down at random; firgurative meaning to the description is so colourful that it is like raining flowers from the sky, and hence not believable), or "lín jí bào fó jiǎo" (literal meaning is to clasp Buddha's feet when in distress, figurative meaning is to seek help at the last moment), etc., to name only a few. Lamaism in Tibet is a branch of Buddhism.

In China Islamism and Christianity also have their extent of influence.

(translated by Wang Xinjie)

Dì-èrshíqī kè　　Zài bīnguǎn
第二十七课　　　在 宾馆
Lesson 27　　　　At a Hotel

一、句子 Sentences

Néng gěi wǒ dìng yī gè fángjiān ma?
701. 能 给 我 订 一 个 房间 吗?
Could you reserve a room for me?

Qǐng gěi wǒ yùdìng yī gè chuángwèi.
702. 请 给我 预订 一 个　床位。
Could you reserve a bed for me, please?

Nǐmen yǒu kòngfáng ma?
703. 你们 有　空房 吗?
Do you have any vacancies?

Wǒ méi yǒu yùdìng.
704. 我 没 有 预订。
I did not make reservation.

Wǒ yào yī jiān shuāngrénfáng.
705. 我 要 一 间 双人房。
I'd like a double room.

Yī gè wǎnshang duōshao qián?
706. 一 个 晚上 多少 钱?
What's the price per night?

Yǒu méi yǒu piányi diǎnr de fángjiān?
707. 有 没 有 便宜 点儿 的 房间?
Do you have any cheaper rooms?

Nǐ dǎsuan zhù duō jiǔ?
708. 你 打算 住 多 久?
How long will you stay in the hotel?

Wǒ dǎsuan zhù jǐ tiān.
709. 我 打算 住 几 天。
I'll stay a few days.

Qǐng nín tián yīxiàr zhùsù dēngjìbiǎo.
710. 请 您 填 一下儿 住宿 登记表。
Please fill in this registration form.

Zhè shì shénme yìsi?
711. 这 是 什么 意思?
What does this mean?

Néng xiān kàn　yīxiàr　fángjiān ma?

712. 能　先　看　一下儿　房间　吗?

May I see the room first?

Qǐng bǎ yàoshi gěi wǒ.

713. 请　把　钥匙　给　我。

My key, please.

Zhège fángjiān tài chǎo le.

714. 这个　房间　太　吵　了。

This room is too noisy.

Wǒ xiǎng yào yī gè kào hǎi de fángjiān.

715. 我　想　要　一个　靠海的　房间。

I'd like a room facing the sea.

Shénme shíjiān kāifàn?

716. 什么　时间　开饭?

What are the meal hours?

Qǐng wù dǎrǎo!

717. 请　勿　打扰!

Do not disturb!

Shuǐlóngtóu guān bù jǐn.

718. 水龙头　关　不　紧。

The tap is dripping.

Shǎngwǔ bù shì tōngzhī nǐmen chuānghu qiǎzhù le ma?
719. 上午 不是 通知 你们 窗户 卡住了吗？
Haven't I told you this morning that the window is jammed?

Wǒ de fángjiān hái méi yǒu shōushi.
720. 我 的 房间 还 没 有 收拾。
My room hasn't been prepared.

Wǒ de yīfu xǐhǎo le ma?
721. 我 的 衣服 洗好 了 吗？
Is my laundry ready?

Wǒ děi mǎshàng zǒu.
722. 我 得 马上 走。
I must leave at once.

Wǒ xiǎng zhōngwǔ tuì fáng.
723. 我 想 中午 退 房。
I'll check out at noon.

Wǒ xiǎng yào jiézhàng.
724. 我 想 要 结帐。
May I have my bill, please?

Yòng xìnyòngkǎ xíng ma?
725. 用 信用卡 行 吗？
Can I pay by credit card?

二、词语 New Words and Phrases

1. 预订	（动）	yùdìng	to reserve; to book
2. 床位	（名）	chuángwèi	bed
3. 空房	（名）	kòngfáng	a vacant room
4. 间	（量）	jiān	（a measure word）
5. 双人房	（名）	shuāngrénfáng	double room
6. 住宿	（动）	zhùsù	to stay; to put up; to get accommodation
7. 登记表	（名）	dēngjìbiǎo	registration form
8. 意思	（名）	yìsi	meaning
9. 钥匙	（名）	yàoshi	key
10. 吵	（形）	chǎo	noisy
11. 开饭	（动）	kāifàn	serve a meal
12. 勿	（副）	wù	no; don't
13. 打扰	（动）	dǎrǎo	to disturb
14. 水龙头	（名）	shuǐlóngtóu	（water）tap
15. 关	（动）	guān	to turn off
16. 窗户	（名）	chuānghu	window
17. 卡	（动）	qiǎ	to block
18. 卡住		qiǎzhù	jammed

19. 收拾	(动)	shōushi	to put in order; to clean away
20. 衣服	(名)	yīfu	clothing; clothes
21. 洗	(动)	xǐ	to wash
22. 退房		tuì fáng	check out
23. 信用卡	(名)	xìnyòngkǎ	credit card

三、会话 Dialogues

(一)

Xiǎojiě, hái yǒu kòngfáng ma?
A: 小姐,还有 空房 吗?
Miss, do you have any vacancies?

Hěn bàoqiàn, yǐjīng kèmǎn le.
B: 很 抱歉,已经 客满 了。
I'm sorry, we don't.

Néng bù néng tì wǒmen xiǎngxiang bànfǎ? Wǒmen zhǐ
A: 能 不 能 替 我们 想想 办法?我们 只
yào liǎng gè dānrénfáng.
要 两 个 单人房。
Could you help and do something for us? We just need two single rooms.

Yǒu liǎng wèi kèren kěnéng shí'èr diǎn tuì fáng, qǐng nǐmen
B: 有 两 位 客人 可能 12 点 退房，请 你们
guò bàn xiǎoshí zài lái kànkan.
过 半 小时 再 来 看看。

Two of our guests will check out at 12 probably. Please come back in half hour.

......

Xiǎojiě, yǒu fángjiān le ma?
A: 小姐，有 房间 了 吗？

Miss, have you got the rooms?

yǒu le, nà liǎng gè kèren gānggāng líkài.
B: 有 了，那 两 个 客人 刚刚 离开。

Yes, we have. That two guests just left a moment ago.

Tài hǎo le! Wǒmen zhēn zǒuyùn!
A: 太 好 了！我们 真 走运！

That's wonderful! We're so lucky!

Qǐng nǐmen xiān tián yīxiàr zhùsù dēngjìbiǎo.
B: 请 你们 先 填 一下儿 住宿 登记表。

Fill in this registration form first, please.

Hǎo de. Fángjiān li yǒu wèishēngjiān ma?
A: 好 的。房间 里 有 卫生间 吗？

OK. Is there a bathroom in our rooms?

· 537 ·

Yǒu de, hái yǒu línyù.

B: 有 的,还 有 淋浴。

Yes, there is, and showers too.

Wǒmen yào xiān xǐ gè zǎo, zài hǎohāor shuìshang

A: 我们 要 先 洗 个 澡,再 好好儿 睡上

yī jiào.

一 觉。

We need to take a shower, and then take a good sleep.

(二)

Tāngmǔ, nǐ xiūxi de zěnmeyàng?

A: 汤姆,你 休息 得 怎么样?

How did you rest, Tom?

Hái bùcuò, nǐ ne, Hālǐ?

B: 还 不错,你 呢,哈里?

Not bad, and you, Harry?

Bié tí le!

A: 别 提 了!

Don't ask.

Zěnme la?

B: 怎么 啦?

What's wrong?

Wǒ de fángjiān kào jiē, chuānghu bèi qiǎzhù le, tài chǎo le.

A: 我的 房间 靠街，窗户 被卡住了，太 吵 了。

My room is facing the street. The window is jammed, it's too noisy!

Nǐ bù shì gàosu tāmen ràng tāmen lái xiū ma?

B: 你 不是 告诉 他们 让 他们 来 修 吗？

You told them to get it fixed, didn't you?

Dàn tāmen dào xiànzài hái méi lái.

A: 但 他们 到 现在 还 没 来。

But they didn't come.

Nǐ zài tōngzhī tāmen yīxiàr, ràng tāmen kuài diǎnr lái xiū.

B: 你 再 通知 他们 一下儿，让 他们 快 点儿 来 修。

Tell them again, and ask them to fix it at once.

Nǐ nàr ne? Dōu zhèngcháng ba?

A: 你 那儿 呢？都 正常 吧？

What about your room? Is everything okay?

Dào mùqián wéizhǐ dōu hái zhèngcháng.

B: 到 目前 为止 都 还 正常。

It's okay so far.

Yàoshi xià cì bù zài zhème dǎoméi jiù hǎo le.

A: 要是 下次 不再 这么 倒霉 就 好 了。

If only I would't be unlucky like this next time!

四、补充词语

Supplementary New Words and Phrases

1.	客满	(动)	kèmǎn	(of theatre ticket, etc.) sold out; full house
2.	办法	(名)	bànfǎ	way; means; measure
3.	单人房	(名)	dānrénfáng	single room
4.	刚刚	(副)	gānggāng	a moment ago; just now
5.	离开	(动)	líkāi	to leave; to depart from
6.	走运	(形)	zǒuyùn	to be in luck; to have good luck
7.	淋浴	(名)	línyù	shower bath; shower
8.	洗澡	(动)	xǐzǎo	to take a bath; to bathe
9.	汤姆	(专)	Tāngmǔ	Tom
10.	哈里	(专)	Hālǐ	Harry
11.	提	(动)	tí	to mention; to refer to; to bring up
12.	修	(动)	xiū	to repair; to fix; to overhaul
13.	正常	(形)	zhèngcháng	normal; regular
14.	为止		wéizhǐ	up to; till
15.	要是	(连)	yàoshi	if; suppose
16.	倒霉	(形)	dǎoméi	to have bad luck; to be out

			of luck; unlucky
17. 国籍	（名）	guójí	nationality
18. 职业	（名）	zhíyè	profession; occupation
19. 出生 年月日		chūshēng nián-yuè-rì	date of birth
20. 籍贯	（名）	jíguàn	place of birth
21. 签名	（名）	qiānmíng	signature
22. 招待所	（名）	zhāodàisuò	guest house; hostel
23. 旅馆	（名）	lǚguǎn	（small）hotel
24. 套间	（名）	tàojiān	a suite
25. 暖气	（名）	nuǎnqì	heating
26. 热水	（名）	rèshuǐ	hot water
27. 暖壶	（名）	nuǎnhú	thermos flask; thermos bottle
28. 自来水	（名）	zìláishuǐ	running water
29. 窗帘儿	（名）	chuāngliánr	（window）curtain
30. 插座	（名）	chāzuò	socket; outlet
31. 插头	（名）	chātóu	plug
32. 电压	（名）	diànyā	voltage
33. 电线	（名）	diànxiàn	（electric）wire; cable
34. 灯泡儿	（名）	dēngpàor	（electic）bulb; light bulb
35. 开关	（名）	kāiguān	switch
36. 烧坏		shāohuài	burned out
37. 盥洗盆	（名）	guànxǐpén	wash-basin

38. 堵	（动）	dǔ	clogged
39. 毯子	（名）	tǎnzi	blanket
40. 被子	（名）	bèizi	quilt
41. 枕头	（名）	zhěntou	pillow
42. 床单儿	（名）	chuángdānr	bed-sheet
43. 蚊帐	（名）	wénzhàng	mosquito net
44. 衣架儿	（名）	yījiàr	coat-hanger; clothes-rack
45. 小卖部	（名）	xiǎomàibù	shopping counter
46. 小费	（名）	xiǎofèi	tip

五、练习 Exercises

1. 替换练习：Subsititution drills：

Shuǐlóngtóu guān bù jǐn

水龙头 关不紧。

chuānghu 窗户	qiǎzhù le 卡住了
mén 门	dǎ bù kāi 打不开
dēngpàor 灯泡儿	shāohuài le 烧坏了
guànxǐpén 盥洗盆	dǔzhù le 堵住了

2. 把下列句子改成"把"字句：

Change the following sentences into sentences with "把":

Qǐng gěi wǒ yàoshi.　　Qǐng bǎ yàoshi gěi wǒ.

例：请 给我 钥匙。→ 请 把 钥匙 给 我。

Qǐng dǎkāi fángjiān.

1) 请 打开 房间。

Wǒ diūle qiánbāo

2) 我 丢了 钱包。

Wǒ wàngle tā de dìzhǐ.

3) 我 忘了 他 的 地址。

Dìdi chīwánle yào.

4) 弟弟 吃完了 药。

Wǒ yǐjīng dìnghǎole fángjiān.

5) 我 已经 订好了 房间。

3. 用"不是…吗?"改写下列句子：

Change the following sentences into the pattern
"不是…吗?":

Shàngwǔ tōngzhī nǐmen chuānghu qiǎzhù le.

例：上午 通知 你们 窗户 卡住了。→

Shàngwǔ bù shì tōngzhī nǐmen chuānghu qiǎzhù le ma?

上午 不是 通知 你们 窗户 卡住 了 吗?

Zhōngwǔ gàosu tā bié lái le.

1) 中午 告诉 他 别 来 了。

Wǒ péngyou qù Běijīng le.

2) 我 朋友 去 北京 了。

Tā yǐjīng zǒu le.

3) 他 已经 走 了。

Lǎoshī zuótiān jiǎngguo zhège wèntí.

4) 老师 昨天 讲过 这个 问题。

Fángjiān li méiyǒu nuǎnqì.

5) 房间 里 没有 暖气。

4. 用 "要是…就…" 改写下列句子:

Change the following sentences into the pattern "要是…就…":

Wǒ bù huì shuō Hànyǔ.

例: 我 不 会 说 汉语。 →

Yàoshi wǒ huì shuō Hànyǔ jiù hǎo le.

要是 我 会 说 汉语 就 好 了。

Wǒ méi qùguo Běijīng.

1) 我 没 去过 北京。

Tā bìng le.

2) 他 病 了。

Tā méi dìnghǎo fángjiān.

3) 他 没 订好 房间。

Wǒ méi mǎidào nà tào jìniàn yóupiào.

4) 我 没 买到 那 套 纪念 邮票。

黄 山 风 光

中国明朝有个旅游家徐霞客，他靠自己的双脚游历了中国众多的名山大川。对于黄山，他称赞说"五岳归来不看山，黄山归来不看岳"，意思是说游历了五岳（中国五大名山）之后就不愿看别的山了，但看过黄山之后连五岳都不值得去看了，极力赞扬黄山的风光之美。

黄山是中国著名的风景旅游区和避暑胜地，位于安徽省南部，是江南丘陵的一部分。其山体主要是花岗岩，侵蚀切割强烈，多为垂直的峭壁与深谷。

黄山的自然风光极为优美，1990 年被列入世界自然文化遗产保护目录。黄山的风景，以怪石、奇松、云海、温泉为最佳，并称为"黄山四绝"。

黄山松是最引人注目的景观之一。迎客松是黄山松的代表。当人们看到从峭壁的缝隙里、石柱的顶端顽强生长着的黄山松时，不禁会产生许多联想，赞叹生命的顽强。

黄山的石以奇异见长，有的形如莲花，有的状如毛笔，有的形似神话人物，有的酷肖动物。人们给这些怪石取了许多动听的名字，如"玉笔峰"、"猴子观海"、"莲花峰"等等。

黄山为安徽最高山，山间常年云雾缭绕，洁白的云雾在山间变幻多端，引人遐思，黄山观云海也是旅游的项目之一。黄山脚下的温泉水温达 42℃，是疗养的好地方。

黄山景点多达 400 余处，每年游客达 40 万人次以上，有时还超过百万呢。

Scenery of Huangshan

Xu Xiake, a tourist in the Ming Dynasty in China, traveled on foot to many famous mountains and rivers in China and he praised Huangshan by saying, "Having seen the Five Mountains, there is no need to see any other mountains, and having seen Huangshan, there is no need to see the Five Mountains," meaning if you have traveled to the Five Mountains, you don't have to travel to any other mountains in China, but if you have visited Huangshan, you then don't have to visit the Five Mountains, for, compared with Huangshan, the Five Mountains are not worth visisting. This is a high praise for Huangshan's beauty.

Huangshan Mountain, located in the south of Anhui Province and a part of the hilly land of the south of China, is a famous scenic beauty location and summer resort in China. The mountain is mainly made of granites with sharp cuts, forming almost verticle cliffs and deep valleys.

Huangshan's natural beauty is so impressive that in 1990 Huangshan was entered in the list of the Cultural Heritage of Nature to be Protected in the World. Its rocks, green pines, cloud seas, and hot springs are called the Four Uniques of Huangshan. Pines, of which the Welcome Guest Pine is the representative, are one of the extraordinary sights in

Huangshan. When seeing pines growing half way in the cliff, in cracks of a cliff, or on top of the crags, one can't help coming up with the imagination and admiration for the tenacity of life. Huangshan crags are well known for their exotic shapes. Some look like lotus or Chinese writing brushes, others like figures in fairy tales or animals and they have been given pleasant names such as Jade Peak, Monkey Watch the Sea, Lotus Peak, etc.. All year round in Huangshan, the highest mountain in Anhui Province, white clouds surround and circle the peaks and float in valleys, changing shapes all the time. So watching cloud seas in Huangshan is one of the interesting things that attracts tourists. At the foot of Huangshan are hot springs, whose water temperature can reach as high as 42℃, making this the ideal place for recuperation. With as many as over 400 scenic spots , Huangshan attracts as many as 400 thousand, sometimes one million tourists every year.

(translated by Wang Xinjie)

大 运 河

大运河又名京杭运河，北起北京，南至杭州，全长 1 794 公里，是世界上最长的运河，也是中国古代最浩大的水利工程。

大运河的开凿始于公元前五世纪的春秋时期。经过历朝开凿已经断断续续南北相望。到了隋朝，公元六世纪初，隋炀帝下令挖通纵贯南北的大运河，沟通南北交通。当时大运河长达 2 700 公里有余。

大运河的凿通，不仅有利于中国南方与北方的经济与政治往来，而且把南方富余的河水引向干旱少雨的北方，其历史功绩不可磨灭。唐宋时期，朝廷就专门设置转运使和发运使，负责运河的运输事务，修建船闸，使船舶能够安全通过，保证运河的运输能力。随着运河航运和经济的发展，运河沿岸逐渐兴起了苏州、杭州、镇江、扬州等一批历史名城。

大运河起自北京，经天津、河北、山东、江苏、浙江等省市，贯通海河、黄河、淮河、长江、钱塘江五大水系，是沟通中国东部的水运干线，同时兼有灌溉、防洪、排涝之利，对中国历代的政治、经济、军事、水利、文化的发展起过重要作用。

目前，大运河北段已因水源不足出现断流，山东济宁以南尚可通航。经过疏浚河道、修建水闸等一系列工程，运河目前的运输量约为 1 亿吨左右。

The Grand Canal

The Grand Canal is also called Jing-Hang Canal（Beijing-Hangzhou Canal）, starting from Beijing in the north and reaching Hangzhou in the south. With a total length of 1,794 kilometers, it is the longest canal in the world and also the hugest water conservancy project in ancient China.

The digging of the Grand Canal began in the 5th century B. C., in the period of Chunqiu（Spring-Autumn）. After several dynasties of digging, the north and south of the canal could intermittently look over for each side. Until the Sui Dynasty in the early 6th century, Emperor Yang Di ordered that the canal from the north to the south be linked, making it possible for junks to go along the canal from north to south. The canal was over 2,700 kilometers long at that time. The successful opening of the Canal not only helps the intercourse between China's north and south in its economy and politics, but also drives the extra water from the south to the dry land in the north. This progress in history can't be obliterated. During the Tang and Song Dynasties, the court set up special transfer envoys and dispatch envoys who were responsible for the transport service of the Canal. Ship locks were set up to enable boats to pass safely , which secured the transport ability of the Canal. With the development of the transport and economy of the Canal, a group of famous cities in history sprung up on the banks of the Canal: Suzhou, Hangzhou, Zhenjiang, and Yangzhou, etc..

The Great Canal starts from Beijing, up to provinces or cities such as Tianjin, Hebei, Shandong, Jiangsu and Zhejiang, etc.. It links up five major river systems: Haihe River, Huanghe River, Huaihe River, Changjiang River and Qiantangjiang River. It is a main line of waterway to link up the eastern area of China. At the same time it has also an advantage of irrigation, flood control, and flood drainage. It has played an important role in the development of politics, economy, military, irrigation, and culture in China's history. At present, the Canal dries up sometimes due to a shortage of water resources in the north section of the Grand Canal, but it is still navigable beyond the south of Jining, Shandong Province. After a series of projects such as dredging the waterway, setting up sluice gates, the freight volume of the Canal is now about one hundred million tons.

(translated by Luo Hongbin)

Dì-èrshíbā kè　Yóulǎn
第二十八课　　游览
Lesson 28　Sightseeing

一、句子 Sentences

Zhōngguó zhēn dà, kě wánr de dìfang zhēn duō.
726. 中国　真　大，可玩儿 的 地方 真 多。
China is so big and there are so many places which are worth travelling.

Nǐ shì dì-yī cì dào Guǎngzhōu lái wánr ba?
727. 你 是 第一 次 到　广州　来 玩儿 吧？
Is this your first visit to Guangzhou?

Zhè shì dì-èr cì, qiánnián láiguo yī cì.
728. 这 是 第二 次，前年　来过 一 次。
This is the second time. I came here in the year before last year.

729. Běijīng de míngshèng gǔjì zuì duō, xiàng Chángchéng、
北京 的 名胜 古迹 最多，像 长城、
Gùgōng、Yíhéyuán dōu shì yóulǎn de hǎo dìfang.
故宫、颐和园 都 是 游览 的 好 地方。
Beijing has the most places of historial interest and scenic beauty,
such as the Great Wall, the Palace Museum and the Summer
Palace. They are all nice places to visit.

730. Shàng cì yīnwèi gōngsī li yǒu shì, tíqián huíguó le,
上 次 因为 公司 里 有 事，提前 回国 了，
hěn duō dìfang méi qùchéng.
很 多 地方 没 去成。
I didn't visit many places last time, because I had something to
attend to in my company, and left a few days earlier before the due
date.

731. Guǎngzhōu wèi shénme yòu jiào "Yáng Chéng" ne?
广州 为 什么 又 叫 "羊 城" 呢?
Why is Guangzhou also called "the City of Rams"?

732. Rénmen dōu shuō "Guìlín shānshuǐ jiǎ tiānxià".
人们 都 说 "桂林 山水 甲 天下"。
People say that "the mountains and the water in Guilin are the
finest under heaven".

Nǐ kàn nà zuò shān xiàng bù xiàng yī tóu dàxiàng?

733. 你看那座山像不像一头大象？

Don't you think that hill looks like a big elephant?

Nánguài rénmen bǎ tā jiàozuò "Xiàngbí Shān".

734. 难怪人们把它叫做"象鼻山"。

No wonder people call it "Elephant Trunk Hill".

Sūzhōu、Hángzhōu shì fēi qù bùkě de.

735. 苏州、杭州是非去不可的。

You must go to Suzhou and Hangzhou.

Qīngshān lǜshuǐ, zhēn shì měijí le!

736. 青山绿水，真是美极了！

How beautiful the green hills and clean water are!

Nàli fēngjǐng yōuměi, qìhòu yírén.

737. 那里风景优美，气候宜人。

The scenery is beautiful and the weather is delightful there.

Guài bu de rénmen dōu shuō "shàng yǒu tiāntáng, xià yǒu

738. 怪不得人们都说"上有天堂，下有

Sū-Háng".

苏杭"。

So that's why people say that "Suzhou and Hangzhou are paradise on earth."

Chángchéng xiàng yī tiáo chángcháng de jùlóng.

739. 长城 像一条 长长 的巨龙。

The Great Wall looks like a long dragon.

Chángchéng yǒu yīwàn èrqiān lǐ, suǒyǐ jiào tā wàn lǐ

740. 长城 有一万二千里,所以叫它万里

Chángchéng.

长城。

Because the Great Wall is as long as twelve thousand *li*, it is called "Ten Thousand *li* Great Wall".

Chúle Xī'ān hé Luòyáng yǐwài, nǐ hái qùguo nǎxiē

741. 除了西安和 洛阳 以外,你还去过 哪些

dìfang?

地方?

Where have you been besides Xi'an and Luoyang?

Lāsà shì wǒ zuì xiǎng qù de dìfang.

742. 拉萨是我 最 想 去 的地方。

Lhasa is the place I want to visit most.

Bù qù duō yíhàn a!

743. 不去多 遗憾 啊!

It's a great pity if you miss the chance to go there!

Tā shì nǎge cháodài de rén?

744. 他 是 哪个 朝代 的 人？

In which dynasty did he live?

Zhège tǎ shì shénme shíhou jiànchéng de?

745. 这个 塔 是 什么 时候 建成 的？

When was the pagoda built?

Wǒ xiǎng zài nàbiān zhào zhāng xiàng.

746. 我 想 在 那边 照 张 相。

I'd like to take a photo over there.

Néng bāng wǒ zhào zhāng xiàng ma?

747. 能 帮 我 照 张 相 吗？

Would you take a photo for me, please?

Nǐ de xiàngjī shì zìdòng de háishi shǒudòng de?

748. 你 的 相机 是 自动 的 还是 手动 的？

Is your camera automatic or manual?

Dāngxīn! Nàr hěn wēixiǎn!

749. 当心！那儿 很 危险！

Be careful! It's dangerous there!

Ménpiào duōshao qián?

750. 门票 多少 钱？

How much is the entrance fee?

二、词语 New Words and Phrases

1. 游览	(动)	yóulǎn	go sight-seeing
2. 名胜古迹		míngshèng gǔjì	scenic spots and historical sites
3. 长城	(专)	Chángchéng	the Great Wall
4. 故宫	(专)	Gùgōng	the Palace Museum
5. 颐和园	(专)	Yíhéyuán	the Summer Palace
6. 提前	(动)	tíqián	to shift to an earlier date; to move up (a date)
7. 羊城	(专)	Yáng Chéng	the City of Rams
8. 桂林山水甲天下		Guìlín shānshuǐ jiǎ tiānxià	the mountains and water in Guilin are the finest under heaven
9. 头	(量)	tóu	(a measure word)
10. 大象	(名)	dàxiàng	elephant
11. 非…不可		fēi…bùkě	must; have to
12. 青山绿水		qīngshān lǜshuǐ	green hills and clean water
13. 优美	(形)	yōuměi	graceful; fine; exquisite
14. 宜人	(形)	yírén	pleasant; delightful
15. 怪不得	(副)	guài bu de	no wonder; so that's why; that explains why

16. 天堂	（名）	tiāntáng	paradise
17. 巨	（形）	jù	huge; tremendous; gigantic
18. 万	（数）	wàn	ten thousand
19. 除了…以外		chúle…yǐwài	except; besides
20. 拉萨	（专）	Lāsà	Lhasa
21. 遗憾	（形）	yíhàn	regret; pity
22. 朝代	（名）	cháodài	dynasty
23. 塔	（名）	tǎ	pagoda; tower
24. 建	（动）	jiàn	to build
25. 相	（名）	xiàng	photograph; photo
26. 相机	（名）	xiàngjī	camera
27. 自动	（形）	zìdòng	automatic
28. 手动	（形）	shǒudòng	manual
29. 当心	（动）	dāngxīn	take care; be careful; look out
30. 危险	（形）	wēixiǎn	danger; dangerous
31. 门票	（名）	ménpiào	entrance ticket

三、会话 Dialogues

(一)

Wǒ hěn zǎo jiù xiǎng dào Chángchéng lái le.
A: 我 很 早 就 想 到 长城 来了。
I dreamed of visiting the Great Wall a long time ago.

Xiànzài wǒmen zhōngyú dēngshàngle Chángchéng!
B: 现在 我们 终于 登上了 长城!
Now we have reached the Great Wall finally!

Chángchéng zhēn xiàng yī tiáo chángcháng de jùlóng.
A: 长城 真 像 一 条 长长 的巨龙。
The Great Wall looks like a long huge dragon.

Nǐ zhīdao Chángchéng yǒu duō cháng ma?
B: 你 知道 长城 有 多 长 吗?
Do you know how long is the Great Wall?

Bù tài qīngchu, dàn wǒ zhīdao tā díquè hěn cháng.
A: 不太 清楚, 但 我 知道它 的确 很 长。
Not exactly, but I do know it is very long.

Chángchéng yǒu yīwàn èrqiān duō lǐ.
B: 长城 有 一万 二千 多 里。
The Great Wall is as long as over twelve thousand li.

Guài bu de rénmen bǎ tā jiàozuò "wàn lǐ Chángchéng".
A: 怪 不 得 人们 把 它 叫做 "万里 长城"。

So that's why people call it "Ten Thousand *li* Great Wall".

Nǐ zhīdao Chángchéng shì shénme shíhou xiūjiàn de ma?
B: 你 知道 长城 是 什么 时候 修建 的 吗?

Do you know when it was built?

Tīngshuō shì zài Qín Cháo. Chángchéng yǐjīng yǒu liǎngqiān
A: 听说 是 在 秦 朝。 长城 已经 有 两千
duō nián de lìshǐ le, duì ba?
多 年 的 历史 了,对 吧?

I was told in the Qin Dynasty. The Great Wall has a history of over two thousand years, isn't it?

Duì. Bùguò wǒmen xiànzài kàndào de Chángchéng shì zài
B: 对。不过 我们 现在 看到 的 长城 是 在
Míng Cháo xiūjiàn de.
明 朝 修建 的。

Yes, it is. But the Great Wall we see today was built in the Ming Dynasty.

(二)

Zhè cì nǐ lái Zhōngguó, kěyǐ duō dāi yī duàn shíjiān le ba?
A: 这次你来 中国,可以 多 呆 一 段 时间 了 吧?

You can stay in China for a longer time this time, can't you?

Zhè cì kěyǐ dāi sān gè yuè.
B: 这 次 可以 呆 三 个 月。
Yes, I can stay for about three months.

Shàng cì nǐ lái, shíjiān jǐn, hěn duō dìfang méi qùchéng.
A: 上 次 你 来,时间 紧,很 多 地方 没 去成。
You didn't visit many places last time, because you were so busy.

Duì, zhè cì wǒ yào duō qù yì xiē dìfang.
B: 对,这 次 我 要 多 去 一 些 地方。
Yes, but I will visit a lot of places this time.

Chúle Běijīng yǐwài, nǐ qùguo nǎxiē dìfang le?
A: 除了 北京 以外,你 去过 哪些 地方 了?
Where have you been besides Beijing?

Chúle Běijīng yǐwài, wǒ zhǐ qùguo Tiānjīn.
B: 除了 北京 以外,我 只 去过 天津。
I have only been to Tianjin besides Beijing.

Nà nǐ zhè cì jìhuà yào qù nǎxiē dìfang?
A: 那 你 这 次 计划 要 去 哪些 地方?
Which places are you going to visit?

Wǒ xiǎng xiān qù Xī'ān, kànkan bīngmǎyǒng, zài qù
B: 我 想 先 去 西安,看看 兵马俑,再 去

Luòyáng, kànkan Lóngmén Shíkū.
洛阳，看看 龙门 石窟。

I'd like to go to Xi'an to see the terra-cotta warriors and horses first, then to Luoyang to see the Longmen Grottoes.

Ránhòu ne?
A: 然后 呢？

And then?

Ránhòu wǒ yào qù Yúnnán, kànkan Shílín hé nàr de
B: 然后 我 要 去 云南，看看 石林 和 那儿 的
shǎoshù mínzú.
少数 民族。

I'll go to Yunnan to visit the Stone Forest and the minorities there.

四、补充词语
Supplementary New Words and Phrases

1. 登　　（动）　dēng　　　　to climb; to mount

2. 秦朝　（专）　Qín Cháo　　Qin Dynasty

3. 听说　（动）　tīngshuō　　to be told; to hear of

4. 历史　（名）　lìshǐ　　　　history; past records

5. 不过　（连）　búguò　　　　but

6. 修建　（动）　xiūjiàn　　　to build

7. 明朝　（专）　Míng Cháo　　Ming Dynasty

8. 呆	（动）	dāi	to stay
9. 段	（量）	duàn	（a measure word）
10. 天津	（专）	Tiānjīn	Tianjin
11. 兵马俑	（名）	bīngmǎyǒng	terra-cotta warriors and horses
12. 龙门石窟	（专）	Lóngmén Shíkū	the Longmen Grottoes（in Luoyang）
13. 云南	（专）	Yúnnán	Yunnan（Province）
14. 石林	（专）	Shílín	the Stone Forest
15. 少数民族	（名）	shǎoshù mínzú	minority nationality; national minority
16. 庙	（名）	miào	Buddhist temple
17. 和尚	（名）	héshang	Buddhist monk
18. 观	（名）	guàn	Taoist temple
19. 天坛	（专）	Tiāntán	the Temple of Heaven（in Beijing）
20. 教堂	（名）	jiàotáng	church
21. 长江	（专）	Cháng Jiāng	the Changjiang（Yangtze）River
22. 黄河	（专）	Huáng Hé	the Huanghe（Yellow）River
23. 泰山	（专）	Tài Shān	the Mount Taishan（in Shandong）
24. 华山	（专）	Huà Shān	the Huashan Mountain（in Shaanxi）
25. 衡山	（专）	Héng Shān	the Hengshan Mountain（in

			Hunan）
26. 恒山	（专）	Héng Shān	the Hengshan Mountain（in Shanxi）
27. 嵩山	（专）	Sōng Shān	the Songshan Mountain（in Henan）
28. 黄山	（专）	Huáng Shān	the Huangshan Mountain（in Anhui）
29. 少林寺	（专）	Shàolín Sì	the Shaolin Temple
30. 峨眉山	（专）	Éméi Shān	the Emei Mountain（in Sichuan）
31. 西湖	（专）	Xī Hú	the Xihu Lake（in Hangzhou）
32. 亭子	（名）	tíngzi	pavilion
33. 桥	（名）	qiáo	bridge
34. 海滩	（名）	hǎitān	seabeach；beach
35. 草原	（名）	cǎoyuán	grasslands
36. 沙漠	（名）	shāmò	desert
37. 森林	（名）	sēnlín	forest

五、练习 Exercises

1. 替换练习：Substitution drills：

Sūzhōu、Hángzhōu shì fēi qù bùkě de.

<u>苏州、杭州</u> 是 非 去 不可 的。

Guìlín 桂林	yóulǎn 游览
Gùgōng 故宫	cānguān 参观
liànxí 练习	zuòwán 做完
zhùsù dēngjìbiǎo 住宿 登记表	tiánxiě 填写

2. 用"除了…以外"改写下列句子：

Change the following sentences into the pattern "除了…
以外"：

Wǒ zhǐ qùguo Běijīng.

例：我 只 去过 北京。→

　　Chúle Běijīng yǐwài, wǒ bié de dìfang dōu méi qùguo.

　　除了 北京 以外，我 别的 地方 都 没 去过。

Tā zhǐ chī qīngcài.

1) 她 只 吃 青菜。

Wǒ zhǐ mǎiguo Hàn-Yīng Cídiǎn.

2) 我 只 买过《汉英词典》。

Tā zhǐ chuān yī tiáo duǎnkù.

3) 他只 穿 一条 短裤。

Tā méi yǒu qù.

4) 他 没 有 去。

Zhège cāntīng méi yǒu lóngxiā.

5) 这个 餐厅 没有 龙虾。

3. 用 "怪不得…" 改写下列句子：

Change the following sentences into the pattern
"怪不得…"：

Kūnmíng de qìhòu yī nián sì jì xiàng chūntiān.

例：昆明 的 气候 一 年 四 季 像 春天。→

Guài bu de rénmen bǎ tā jiàozuò "Chūn Chéng".

怪 不 得 人们 把 它 叫做 "春 城"。

Chángchéng yǒu yīwàn èrqiān lǐ cháng.

1) 长城 有 一万 二千 里 长。

Sūzhōu hé Hángzhōu xiàng tiāntáng yīyàng měi.

2) 苏州 和 杭州 像 天堂 一样 美。

Nà zuò shān xiàng yī tóu dàxiàng.

3) 那 座 山 像 一头 大象。

Guìlín shānshuǐ shì zuì měi de.

4) 桂林 山水 是 最美 的。

4. 口头回答问题:

Answer the following questions in oral:

Běijīng yǒu nǎxiē míngshèng gǔjì?
1) 北京 有 哪些 名胜 古迹?

Wèi shénme rénmen shuō "shàng yǒu tiāntáng, xià yǒu
2) 为 什么 人们 说 "上 有 天堂, 下 有
Sū-Háng"?
苏杭"?

Nǐ zuì xiǎng qù shénme dìfang yóulǎn? Wèi shénme?
3) 你 最 想 去 什么 地方 游览? 为 什么?

Nǐ néng jièshào yīxiàr Chángchéng de qíngkuàng ma?
4) 你 能 介绍 一下儿 长城 的 情况 吗?

Zhōngguó yǒu nǎxiē yǒumíng de shān?
5) 中国 有 哪些 有名 的 山?

附录

万里长城

1969年，当美国宇航员阿姆斯特朗在月球上留下自己的脚印，对全球宣布说"对一个人来说这是一小步，对全人类说这是一大步"之后，他情不自禁地望了望那个蔚蓝色的行星。他惊奇地发现，仅凭肉眼他就能望见地球上的两项人工建筑：荷兰围海大堤，中国万里长城。

万里长城是中国建筑史上的奇迹，它修建于春秋战国时代，是诸侯国为了防御而修建的。公元前221年秦统一中国后，大规模修建长城，使它成为长逾万里的防御工事。

长城的修建耗用了大量的劳力，当时青壮年大多数被征调去筑长城。平民百姓受不了这种劳役之苦，于是便产生了"孟姜女哭长城"的故事。

传说孟姜女是个刚结婚的美丽的女子，她的丈夫被征去修筑长城，从此就杳无音信。出于对丈夫的爱，孟姜女历尽千辛万苦来到长城脚下，但听说丈夫已死，尸体被埋葬在长城之下。孟姜女悲悼丈夫的不幸，放声大哭三日三夜。她的哭声惊动了天神，长城因此崩倒800里，孟姜女终于在那里找到丈夫的尸体并将其安葬。

由于万里长城主要用于防御，所以大多建在有军事意义的险要之地。新中国成立后，政府对长城做了修复，并把山海关、居庸关、八达岭、平型关定为重点保护单位。长城遗址成为吸引中外旅游者的文化名胜。

The Great Wall

In 1969, when the American astronaut, Mr. Armstrong landed on the moon , he declared to the the whole world: "This is a small step for man, but a giant step for mankind." He glanced at the azure planet and was astonished to find that he could see with the naked eye two man-made constructions on the earth: the Dutch Dam in Holland and the Great Wall in China.

The Great Wall is a wonder in the history of Chinese architecture. It was first built by a number of dukedoms for defence purpose during the Period of Spring and Autumn and the Warring-States. After the State Qin unified China in the year 221 BC, the Great Wall continued to be constructed on a larger scale and it then turned into a defence work of a length exceeding over 5,000 km.

The construction of the Great Wall consumed a terrible amount of laborforce. At that time, most of the young and strong were forced to build the Wall. The intolerable hard labor led to the creation of the story "Mengjiangnu crying over the Great Wall."

The legendary story says that Mengjiangnu was a newly-married beautiful woman. Ever since her husband was conscripted to build the Great Wall, she never heard the faintest news whatsoever about him. She loved her husband, and decided to look for him. But when she, after going through millions of untold sorrows and hardships, reached the foot of the Great Wall, only to find that her husband was dead and was buried under the Great Wall, she let out a painful and heart-broken cry, which lasted three days and three nights. Her cry was heard by the heavenly god, who had 400 km of the Great Wall crumbled, in order for her to find the corpse of her husband and rebury it.

As the Great Wall was principally meant for a defence work, most part of it was constructed at strategical places difficult to access. After the founding of the P. R. China, the government has restored and renovated the Great Wall and has enlisted Shanhaiguan, Juyongguan, Badaling, and Pingxingguan as units of special protection. The Great Wall is now a scenic spot of culture that attracts tourists both from China and from abroad.

(translated by Dai Canyu)

苏 州 园 林

苏州的园林是极富中国文化意味的花园式建筑，以其雍容典雅的风格，玲珑别致的布局，诗情画意的造型，给人一种和谐完整的美感。

苏州园林中名园很多，风格也各有千秋。

沧浪亭以古朴见长，善于借用外部的景色，使自身和周围环境融为一体，园内布局以假山为主。

拙政园以水为中心，主要建筑物多临水而建，中园是精华所在。远香堂是中园主体建筑，四周用玻璃做窗，面临荷花池，每当夏日风起，荷香会扑面而来。拙政园是江南园林的代表，具有明代风格，景色耐人寻味。

西园原是私人住宅，后改为寺院，内有泥塑罗汉五百尊，栩栩如生。最吸引人的塑像是疯僧，由于他有十样身体缺陷被人称为"十不全和尚"，除了神态逼真外，这个泥雕的腰带富有质感，仿佛是真的丝绸一样。

其他名园也各具特色，狮子林以湖石假山著称，留园有移步换景之誉（即每走一步景色就会发生变化），怡园集众园之长于一身，耦园表达了古代一个退休官员对妻子的真挚感情等等。

苏州园林是中国文化在庭院建筑上的反映，极富民族特色。

Gardens in Suzhou

The gardens in Suzhou symbolize typical garden-style buildings in Chinese culture. It has a graceful and poised style, exquisite and unique layout, and a poetic and picturisque mould, which gives you a sense of harmony and beauty.

There are many famous gardens in Suzhou, and their styles are varied.

Canglang Pavilion is famous for its primitive simplicity. It and its surroundings are mixed together with the aid of its outside landscapes. The garden layout here is mainly some rockeries.

Zhuozheng Garden is famed for its ponds. Most of its buildings are built next to water. Zhongyuan Garden, center of the Zhuozheng Garden, is the best. Yuanxiangtang Hall is the principal architecture of Zhongyuan Garden, with glass windows all around it. This hall faces a lotus pond, so whenever the summer wind rises, it carries with it the scent of lotus. Zhuozheng Garden is a representative of the gardens of south China. It has a style of the Ming Dynasty, and the landscape is quite touching.

Xiyuan Garden used to be a private residence, later changed to a Buddhist monastery. There are five hundred clay sculpture *arhats* which are vivid and lifelike. The most attractive sculpture is the Mad Monk. As he has ten physical defects, he is called "A Monk with 10 Defects." Apart from its vivid appearance, the Mad Monk belt is made so good that it looks just like it is made from real silk.

The other well-known gardens have their own characteristics, too. Lion Grove is mainly characterized by its lakeside rocks and rockeries. Liuyuan Garden has a popularity of landscape-changing with step-moving (the landscape will vary if you walk a step forward). Yiyuan Garden blends all the best of the other gardens into its own style. Ouyuan Garden expresses the sincere feeling of an ancient retired official to his wife, etc..

Gardens in suzhou reflect Chinese culture in courtyard architecture, full of national features.

(translated by Luo Hongbin)

Dì-èrshíjiǔ kè　Tán àihào
第二十九课　　谈爱好
Lesson 29　Talking about Hobbies

一、句子 Sentences

Nǐ píngshí zuò shénme?

751. 你平时做什么？

What do you usually do?

Nǐ duì shénme gǎn xìngqù?

752. 你对什么感兴趣？

What are you interested in?

Tā yǒu shénme àihào?

753. 他有什么爱好？

What is his hobby?

Tā píngshí xǐhuan kàn shū.

754. 他平时喜欢看书。

He likes reading usually.

Tiáncūn duì wéiqí hěn gǎn xìngqù.

755. 田村 对 围棋 很 感 兴趣。

Tamura is interested in *weiqi*.

Wǒ fēicháng xǐhuan jīngjù.

756. 我 非常 喜欢 京剧。

I like Beijing opera very much.

Nǐ yīdìng xǐhuan zhàoxiàng ba?

757. 你 一定 喜欢 照相 吧?

You definitely like to take photos, don't you?

Duì, wǒ hěn xǐhuan shèyǐng.

758. 对, 我 很 喜欢 摄影。

Yes, I like photography very much.

Líndá shì yī gè diànyǐngmí.

759. 琳达 是 一 个 电影迷。

Linda is a movie fan.

Yī yǒu shíjiān tā jiù qù kàn diànyǐng.

760. 一 有 时间 她 就 去 看 电影。

She goes to movies whenever she's got time.

Jíyóu shì yī zhǒng yìshù xiǎngshòu.

761. 集邮 是 一 种 艺术 享受。

Collecting stamps is a kind of artistic enjoyment.

Yī lái Zhōngguó tā jiù kāishǐ xué gōngfu.
762.一来 中国 他 就 开始 学 功夫。
He began to learn *gongfu* as soon as he arrived in China.

Tā de xìngqù shì zài dìlǐ fāngmiàn.
763.他 的 兴趣 是 在 地理 方面。
He is interested in geography.

Xiǎo Mǎ duì gǔdiǎn yīnyuè yǒu nónghòu de xìngqù.
764.小 马 对 古典 音乐 有 浓厚 的 兴趣。
Xiao Ma takes a great interest in the classical music.

Tā de nǚ péngyou zuì xǐhuan guàngjiē.
765.他 的 女 朋友 最 喜欢 逛街。
His girlfriend likes to go window-shopping most.

Tā zhàngfu shì shénme shíhou míshàng qìgōng de?
766.她 丈夫 是 什么 时候 迷上 气功 的?
When was her husband fascinated by *qigong*?

Lǎo Lǐ liàn shūfǎ liànle hěn duō nián le.
767.老李 练 书法 练了 很 多 年 了。
Lao Li has been practising calligraphy for many years.

Tā yī yǒu kòngr jiù liàn.
768.他 一 有 空儿 就 练。
He practises whenever he's got time.

´Wǒ dìdi bùjǐn xǐhuan dǎ lánqiú, yě xǐhuan tī zúqiú.
769. 我 弟弟 不仅 喜欢 打 篮球，也 喜欢 踢 足球。
My younger brother not only likes to play basketball, he likes to play soccer too.

Tā bùdàn xǐhuan dǎ pīng-pāngqiú, érqiě dǎ de hěn hǎo.
770. 他 不但 喜欢 打 乒乓球，而且 打 得 很 好。
He likes to play table-tennis, and he plays well.

Wǒ zài dàxué de shíhou, ài dǎ wǎngqiú.
771. 我 在 大学 的 时候，爱 打 网球。
I liked to play tennis when I was at the university.

Nǐ kěndìng huì xǐhuan de.
772. 你 肯定 会 喜欢 的。
You'll definitely like it.

Wǒ hé wǒ qīzi yǒu xǔduō gòngtóng de àihào.
773. 我 和 我 妻子 有 许多 共同 的 爱好。
My wife and I have many interests in common.

Wǒ gāng kāishǐ xué, hái bù tài huì.
774. 我 刚 开始 学，还 不 太 会。
I just began to learn and I'm not skilful yet.

Nà yǒu shénme yìsi!

775. 那 有 什么 意思！

It's not interesting at all!

二、词语 New Words and Phrases

1. 爱好	（名）	àihào	interest; hobby
2. 平时	（名）	píngshí	at ordinary times; in normal times
3. 感兴趣		gǎn xìngqù	to be interested
4. 田村	（专）	Tiáncūn	Tamura
5. 围棋	（名）	wéiqí	*weiqi*, a game played with black and white pieces on a board of 361 crosses
6. 非常	（副）	fēicháng	very; extremely; highly
7. 京剧	（名）	jīngjù	Beijing opera
8. 摄影	（名）	shèyǐng	to take a photograph; photography
9. 琳达	（专）	Líndá	Linda
10. 电影	（名）	diànyǐng	movie; film
11. 一……就……		yī…jiù…	as soon as
12. 艺术	（名）	yìshù	art
13. 享受	（名）	xiǎngshòu	enjoyment; treat
14. 功夫	（名）	gōngfu	*gongfu*

15. 兴趣	（名）	xìngqù	interest
16. 地理	（名）	dìlǐ	geography
17. 方面	（名）	fāngmiàn	respect; aspect; side; field
18. 马	（专）	Mǎ	（a surname）
19. 古典	（形）	gǔdiǎn	classical
20. 音乐	（名）	yīnyuè	music
21. 浓厚	（形）	nónghòu	strong; pronounced
22. 逛	（动）	guàng	to stroll; to ramble
23. 逛街	（动）	guàngjiē	to go window-shopping
24. 迷	（动）	mí	be fascinated by; be crazy about
25. 气功	（名）	qìgōng	*qigong*, a system of deep breathing exercises
26. 练	（动）	liàn	to practise; to exercise
27. 书法	（名）	shūfǎ	calligraphy
28. 打	（动）	dǎ	to play
29. 踢	（动）	tī	to kick; to play
30. 足球	（名）	zúqiú	football; soccer
31. 不仅…也…		bùjǐn…yě…	not only…
32. 不但…而且…		bùdàn…érqiě…	not only…but also…
33. 大学	（名）	dàxué	university

34. 网球	(名)	wǎngqiú	tennis
35. 肯定	(副)	kěndìng	certainly;　undoubtedly;　definitely
36. 共同	(形)	gòngtóng	common
37. 会	(动)	huì	be good at; be skilful in

三、会话 Dialogues

(一)

Nǐ píngshí dōu zuò xiē shénme?
A: 你 平时 都 做 些 什么？
What do you usually do?

Wǒ xǐhuan huábīng, yě xǐhuan dǎ yǔmáoqiú.
B: 我 喜欢 滑冰，也 喜欢 打 羽毛球。
I like skating, and I like to play badminton too.

Nǐ huábīng huá de zěnmeyàng?
A: 你 滑冰 滑 得 怎么样？
How about your skating?

Wǒ shì gè huábīng gāoshǒu, dàxué shí céng déguo huábīng
B: 我 是 个 滑冰 高手，大学 时 曾 得过 滑冰
guànjūn.
冠军。

I'm a master skater and I won the championship when I was in the university.

Nǐ de yǔmáoqiú dǎ de zěnmeyàng?
A: 你的 羽毛球 打 得 怎么样?
How is your badminton?

Dǎ de bù zěnmeyàng. Wǒ gāng kāishǐ xué.
B: 打 得 不 怎么样。我 刚 开始 学。
Not very well. I just began to learn.

Yǒu shíjiān dehuà wǒmen yīqǐ qù liànlian.
A: 有 时间 的话 我们 一起 去 练练。
Let's go practise together if we got time.

Hǎo wa. Nǐ xǐhuan shénme yùndòng?
B: 好 哇。你 喜欢 什么 运动?
Fine. What kind of sports do you like?

Wǒ zuì xǐhuan xià Zhōngguó xiàngqí.
A: 我 最 喜欢 下 中国 象棋。
I like to play Chinese chess most.

Nǐ cháng xià ma?
B: 你 常 下 吗?
Do you play often?

Wǒ yī yǒu shíjiān jiù xià.
A：我 一 有 时间 就 下。
Yes, I play whenever I have time.

(二)

Xiǎo Zhōu, nǐ zài kàn shénme shū?
A：小 周，你 在 看 什么 书？
Xiao Zhou, what are you reading?

Zhōngguó lìshǐ.
B：《中国 历史》。
History of China.

Nǐ duì lìshǐ hěn gǎn xìngqù, shì ba?
A：你 对 历史 很 感 兴趣，是 吧？
You take a great interest in history, don't you?

Duì, wǒ juéde lìshǐ hěn yǒu yìsi.
B：对，我 觉得 历史 很 有 意思。
Yes, I think it is very interesting.

Nǐ de yìsi shì…
A：你 的 意思 是……
You mean…

Lìshǐ bùjǐn néng gàosu nǐ guòqù zěnmeyàng, hái néng
B: 历史 不仅 能 告诉 你 过去 怎么样, 还 能

gàosu nǐ wèilái zěnmeyàng.
告诉 你 未来 怎么样。

The history can not only tell you what happened in the past, but also can tell you what will happen in the future.

Kànlai jīnhòu wǒ yě yīnggāi duō xué diǎnr lìshǐ.
A: 看来 今后 我 也 应该 多 学 点儿 历史。

It seems I should learn more about history in the future.

Nǐ zuìjìn zài liàn shénme?
B: 你 最近 在 练 什么?

What are you practising recently?

Wǒ zài liàn qìgōng.
A: 我 在 练 气功。

I'm practising qigong.

Liànle duō jiǔ le?
B: 练了 多 久 了?

How long have you been practising?

Wǒ yī lái Zhōngguó jiù kāishǐ liàn le.
A: 我 一 来 中国 就 开始 练 了。

I began to practise as soon as I arrived in China.

Qìgōng yě fēicháng yǒu yìsi. Nǐ yīdìng yào jiānchí

B: 气功 也 非常 有 意思。你 一定 要 坚持

xiàqu.

下去。

Qigong is interesting, too. You must keep on practising.

四、补充词语
Supplementary New Words and Phrases

1.	滑冰	（动）	huábīng	ice-skating; skating
2.	羽毛球	（名）	yǔmáoqiú	badminton
3.	高手	（名）	gāoshǒu	master; master-hand
4.	冠军	（名）	guànjūn	champion
5.	下	（动）	xià	to play (chess)
6.	象棋	（名）	xiàngqí	(Chinese)chess
7.	历史	（名）	lìshǐ	history
8.	过去	（名）	guòqù	in or of the past
9.	未来	（名）	wèilái	future; tomorrow
10.	坚持	（动）	jiānchí	persist in; uphold
11.	民歌	（名）	míngē	folk songs
12.	流行音乐		liúxíng yīnyuè	pop music
13.	歌曲	（名）	gēqǔ	songs
14.	交响乐	（名）	jiāoxiǎngyuè	symphony

15. 小提琴	(名)	xiǎotíqín	violin
16. 磁带	(名)	cídài	tape
17. 唱碟	(名)	chàngdié	CD
18. 文学	(名)	wénxué	literature
19. 哲学	(名)	zhéxué	philosophy
20. 舞蹈	(名)	wǔdǎo	dance
21. 美术	(名)	měishù	the fine arts; art; painting
22. 物理	(名)	wùlǐ	physics
23. 化学	(名)	huàxué	chemistry
24. 生物	(名)	shēngwù	biology
25. 数学	(名)	shùxué	mathematics
26. 经济	(名)	jīngjì	economics
27. 医学	(名)	yīxué	medical science; medicine
28. 胶卷儿	(名)	jiāojuǎnr	film
29. 底片	(名)	dǐpiàn	negative film
30. 冲洗	(动)	chōngxǐ	to develop(film)
31. 排球	(名)	páiqiú	volleyball
32. 游泳	(动)	yóuyǒng	swimming; swim
33. 滑雪	(动)	huáxuě	skiing
34. 滑水	(动)	huáshuǐ	water skiing
35. 体操	(名)	tǐcāo	gymnastics
36. 健身	(名)	jiànshēn	body building
37. 武术	(名)	wǔshù	*wushu*, martial arts such as

			shadowboxing, swordplay, etc.
38. 钓鱼	（动）	diàoyú	fishing
39. 旅行	（动）	lǚxíng	to travel

五、练习 Exercises

1. 替换练习：Subsititution drills：

Líndá shì yī gè diànyǐngmí.

1）<u>琳达</u> 是 一 个 <u>电影</u>迷。

Xiǎo Wáng 小　王	zúqiú 足球
Lǎo Mǎ 老　马	qìgōng 气功
tā érzi 他 儿子	jíyóu 集邮
wǒ yéye 我 爷爷	diàoyú 钓鱼

Tā de xìngqù shì zài dìlǐ fāngmiàn.
2) 他 的 兴趣 是 在 地理 方面。

Xiǎo Zhōu 小 周 wǒ qīzi 我 妻子 biǎomèi 表妹 tā fùqin 他 父亲	Zhōngguó lìshǐ 中国 历史 wénxué 文学 wǔdǎo 舞蹈 shūfǎ 书法

2. 用"对…感兴趣"改写下列句子：

Change the following sentences into the pattern "对…感兴趣"：

Tiáncūn hěn xǐhuan wéiqí.
例：田村 很 喜欢 围棋。→

Tiáncūn duì wéiqí hěn gǎn xìngqù.
田村 对 围棋 很 感 兴趣。

Wǒ fēicháng xǐhuan jīngjù.
1) 我 非常 喜欢 京剧。

Tā shì yī gè shèyǐngmí.
2) 他 是 一 个 摄影迷。

Yī yǒu shíjiān tā jiù qù kàn diànyǐng.
3) 一 有 时间 她 就 去 看 电影。

Xiǎo Mǎ de xìngqù shì zài jīngjì fāngmiàn.
4) 小 马 的 兴趣 是 在 经济 方面。

　　　　Gēge měi tiān dōu liàn shūfǎ.
5) 哥哥 每 天 都 练 书法。

3. 用"不但…而且…"改写下列句子：

Change the following sentences into the pattern "不但…
而且…"：

　　　Tā pīngpāngqiú dǎ de hěn hǎo.
例：他 乒乓球 打 得 很 好。→

　　　Tā bùdàn xǐhuan dǎ pīngpāngqiú, érqiě dǎ de hěn hǎo.
他 不但 喜欢 打 乒乓球, 而且 打 得 很 好。

　　　Tiáncūn wéiqí xià de bùcuò.
1) 田村 围棋 下 得 不错。

　　　Wǒ dàxué shí déguo huábīng guànjūn.
2) 我 大学 时 得 过 滑冰 冠军。

　　　Tā bìng de hěn lìhai.
3) 他 病 得 很 厉害。

　　　Wǒ bàba měi tiān chōu hěn duō yān.
4) 我 爸爸 每 天 抽 很 多 烟。

　　　Mǎlì Hànyǔ shuō de hěn liúlì.
5) 玛丽 汉语 说 得 很 流利。

4. 口头回答问题：

Answer the follwing questions in oral：

　　　Nǐ píngshí zuò shénme?
1) 你 平时 做 什么？

　　Nǐ péngyou duì shénme gǎn xìngqù?
2) 你 朋友 对 什么 感 兴趣?

　　Nǐ yǒu shénme àihào?
3) 你 有 什么 爱好?

　　Nǐ zuì xǐhuan shénme yùndòng?
4) 你 最 喜欢 什么 运动?

　　Xiǎo Zhōu wèi shénme duì lìshǐ gǎn xìngqù?
5) 小 周 为 什么 对 历史 感 兴趣?

附录

中国书法艺术

在西方人看来，文字只是用来记录语言的工具而已，但在讲究实用与美相结合的中国人那里，它被发展为一门艺术。

书法艺术指通过对毛笔的运用、文字结构的安排、篇章间的关系来表现汉字独特魅力的艺术。

在运笔上，书法讲究运笔方法、笔画的内在力量的强弱、笔的走向上所构成的气势和笔画线条上所构成的情趣。

在字的结构上，书法讲究虚实、匀称、和谐等。要求笔画的长短、粗细、伸缩与偏旁的高低宽窄、偏正搭配得当，既要合乎常规字体，又要体现作者的审美情趣。

在整篇文章的书写中，书法注重字与字、行与行之间的整体关系和布局，除了疏密、均衡之外，还要求上下照应，形成统一的、整体的风格，使整篇文章有一种韵律和节奏感。

此外，书法还十分讲究用墨的方法，墨的浓淡程度及其恰当运用与否是判断书法好坏的标准之一。

书法的字体主要有篆体、隶体、楷体、行体和草体几种。

The Art of Chinese Calligraphy

It seems to many Westerners that characters are simple tools to record a language. But to Chinese people, who are particular about the function and beauty of characters, it has developed into an art.

The art of calligraphy means expressing the unigue charm of Chinese characters through the use of the writing brush, the arrangement of character structure, and the relationship of the whole article.

In handling the writing brush, Chinese calligraphy pays much attention to its method, the balance of the internal strength of the strokes, the momentum of the stroke trend, as well as the amusement of the stroke lines.

In character structures, the Chinese calligraphy pays much attention to strength, neatness and harmony, etc.. The length, thickness and flexibility of the strokes are required to match well the height and the width of the character components. It must conform with the conventional style and express the author's interest of beauty.

In writing an entire article, Chinese calligraphy pays attention to the entire relationship between characters and lines, as well as its overall layout. Apart from the density and harmony, it also demands the correspondence of up and down, which forms a united and complete style. The entire article will give you a sense of rhyme and rhythm.

Forthermore, the Chinese calligraphy is also particular about how to apply Chinese ink. The degree of ink thickness and its proper control is one of the standards to judge the Chinese calligraphy.

The Chinese calligraphy has several kinds of style such as *Zhuan* style (seal character), *Li* style (official script), *Kai* style (regular script), *Xing* style (running hand) and *Cao* style (cursive hand).

(translated by Luo Hongbin)

中 国 功 夫

在中国，功夫的正式名称叫武术或武艺。

外国人来中国，很多都要去河南的少林寺去看看，在他们看来，少林功夫是中国武术的代表。

少林武术确实是武术的精华，但它只是中国功夫的一个派别。中国功夫还包括其他许多派别，如太极拳、武当拳、八卦掌、形意拳等。除了拳术之外，中国武术还包括运用器械。人们称赞一个人武艺高强，往往用"十八样兵器样样精通"来描述。武术器械主要有刀、枪、剑、棍、鞭、锤等。

少林寺位于河南省登封县嵩山脚下。少林寺众僧习武开始于唐朝。由于少林寺的13名持棍武僧曾救过唐朝开国皇帝李世民的命，皇帝下令奖励少林，少林寺开始了它辉煌的历史，被人们称为"天下第一名刹"。少林寺僧是唯一经皇帝批准而建立的僧兵，这为少林武术的发展提供了有利条件。少林寺除了自己练武外，还经常邀请全中国的武术高手、名家来研讨武术，所以它能够成为集众家之长的武术流派。

少林寺白衣殿的墙壁上，绘有巨幅图画，记载着少林武僧练功的情景，吸引着众多游人的兴趣。

在明朝末年，少林武术南传，并且形成了和北少林不同的风格。南方少林武术重视拳击，北方少林武术重视腿击，故又有"南拳北腿"之说。

Chinese Gongfu

The formal expression of *gongfu* is *wushu* or *wuyi* (martial arts) in the Chinese language.

When foreigners come to China, some of them are sure to go to have a look at the Shaoling Temple in Henan Province. It seems to them that Shaoling *gongfu* represents Chinese *wushu*.

It is really true that Shaoling *gongfu* is the essence of *wushu*, but it is also only one faction of Chinese *gongfu*. Chinese *gongfu* includes many other factions as well, such as *Taiji* boxing (a traditional Chinese shadow boxing), *Wudang* boxing, *Baguazhang* (Eight Diagrams Palm) and *Xingyi* boxing, etc.. Apart from boxing, Chinese *wushu* also includes wielding with weapons. When people praise somebody who excels in martial arts, they always describe him as "a master of all the eighteen weapons." The main martial arts weapons include the knife, spear, sword, club, whip, and mace, etc..

Shaolin Temple is located at the foot of Songshan Mountain, in Dengfeng County of Henan Province. All monks began to practice martial arts here during the Tang Dynasty. According to legend, thirteen monks with clubs from Shaolin Temple saved the life of Li Shimin, the first emperor of the

Tang Dynasty. The emperor gave orders to encourage and reward Shaolin Temple. Then began the glorious history of Shaolin Temple. People call it "the Number One Temple All Over the World." The martial monks of Shaolin Temple were the only monk soldiers that the emperor permitted at that time, which provided great advantage for the development of Shaolin martial arts. Shaolin Temple not only practiced martial arts itself, but also frequently invited other masterhands and experts from all over the country to swap together about martial arts. That's why it has become a martial faction which has all the best of the other factions as its own.

On the wall of Baiyi Hall of Shaolin Temple, there are some large frescoes, which record the scene of the monks praticing martial arts. They attract many tourists and arouse their interests.

At the end of the Ming Dynasty, Shaolin martial arts passed to southern China, and a new style was formed that was different from the north. The southern Shaolin pays attention to fist attacks while the northern Shaolin pays particular attention to leg attacks. This leads to the saying of "southern fists and northern legs."

(translated by Luo Hongbin)

Dì-sānshí kè　　Sòngbié
第三十课　　送别
Lesson 30　Farewell

一、句子 Sentences

Tīngshuō nǐ míngtiān jiù yào zǒu le, shì ma?
776. 听说 你 明天 就要 走了,是 吗?
I was told that you're leaving tomorrow, is it true?

Wǒ de qiānzhèng xià xīngqī. jiù dàoqī le.
777. 我 的 签证 下 星期 就 到期 了。
My visa expires next week.

Wǒ yǐjīng dìnghǎole xīngqīsì de fēijī piào.
778. 我 已经 订好了 星期四 的 飞机 票
I've booked the air ticket for Thursday.

Shíjiān guò de zhēn kuài a!
779. 时间 过 得 真 快 啊!
How time flies!

Yī zhuǎnyǎn liǎng gè yuè jiù guòqu le.

780. 一 转眼 两 个 月 就 过去 了。

Two months passed before we knew it.

Nǐ hǎoxiàng cái lái bùjiǔ shìde.

781. 你 好像 才 来 不久 似的。

It seems as if you just came.

Zhēn shě bu de nǐ zǒu.

782. 真 舍 不 得 你 走。

I hate you to leave, really.

Wǒ yě hěn shě bu de zǒu.

783. 我 也 很 舍 不 得 走。

I hate to leave too.

Xíngli shōushi de zěnmeyàng le?

784. 行李 收拾 得 怎么样 了?

Have you packed up your baggage?

Dōngxi dōu shōushi de chà bu duō le.

785. 东西 都 收拾 得差 不 多 了。

I've almost finished packing.

Zhèxiē rìzi, nǐmen gěile wǒ hěn duō bāngzhù.

786. 这些 日子,你们 给了 我 很 多 帮助。

You've given me so much help these days.

Wǒ fēicháng gǎnxiè.

787. 我 非常 感谢。

I'm very grateful.

.Wǒ zài Zhōngguó shēnghuó de hěn yúkuài.

788. 我 在 中国 生活 得 很 愉快。

I've had a very enjoyable stay in China.

Zhè cì lǚxíng gěi wǒ liúxiàle shēnkè de yìnxiàng.

789. 这次 旅行 给 我 留下了 深刻 的 印象。

This trip has been very impressive to me.

Zhè cì wǒ qīnyǎn jiàndàole Zhōngguó.

790. 这次 我 亲眼 见到了 中国。

I've seen China with my own eyes this time.

Kěxī shíjiān tài duǎn le, hěn duō dìfang méi lái de

791. 可惜 时间 太 短 了,很 多 地方 没 来 得

jí kàn.

及 看。

It's a pity you haven't got enough time for any other places.

Yǒu xǔduō dìfang zhàogù de bù zhōudao, qǐng duōduō

792. 有 许多 地方 照顾 得 不 周到,请 多多

yuánliàng.

原谅。

Please excuse me, there are many things I didn't get a chance to do.

Zhēn bù zhīdao zěnmeyàng gǎnxiè nín cái hǎo.
793. 真 不 知道 怎么样 感谢 您 才 好。
I really don't know how to express my gratitude.

Yǐhòu rúguǒ yǒu jīhuì dehuà, huānyíng nǐ zài lái
794. 以后 如果 有 机会 的话， 欢迎 你 再 来
Guǎngzhōu.
广州。
If you have a chance sometime later, please come back to
Guangzhou again.

Wǒ yīdìng hái huì zài lái de.
795. 我 一定 还 会 再 来 的。
Certainly I'll come again.

Wǒ lái bu jí xiàng Lǐ xiānsheng gàobié, qǐng nín xiàng
796. 我 来 不 及 向 李 先生 告别，请 您 向
tā zhuǎndá wǒ de xièyì.
他 转达 我 的 谢意。
There's been no time to say good-bye to Mr. Li. Please give my
thanks to him.

Xīwàng wǒmen nénggòu bǎochí liánxì.
797. 希望 我们 能够 保持 联系。
I hope we'll keep in touch.

Huí guó hòu wǒ yīdìng gěi nín xiě xìn.
798. 回 国 后 我 一 定 给 您 写 信。
I will write to you when I'm back.

Wènhòu nín quán jiā hǎo.
799. 问候 您 全 家 好。
Please send my regards to all of your family.

Zhù nǐ yīlù píng'ān! Zàijiàn!
800. 祝 你 一 路 平 安! 再 见!
Wish you a plesant journey! Good-bye!

二、词语 New Words and Phrases

1. 送别	(动)	sòngbié	to see sb. off; to wish sb. bon voyage
2. 签证	(名)	qiānzhèng	visa
3. 到期	(动)	dàoqī	to become due; to expire
4. 转眼	(动)	zhuǎnyǎn	in the twinkling of an eye; in a instant; in a flash
5. 好像	(副)	hǎoxiàng	seem; be like
6. 似的	(助)	shìde	it seems; similar
7. 舍不得	(动)	shě bu de	to hate to part with or use; grudage

8. 日子	(名)	rìzi	day; date; time
9. 愉快	(形)	yúkuài	happy; joyful; cheerful
10. 留	(动)	liú	to leave
11. 深刻	(形)	shēnkè	deep; profound; deepgoing
12. 印象	(名)	yìnxiàng	impression
13. 亲眼	(副)	qīnyǎn	with one's own eyes; personally
14. 可惜	(形)	kěxī	it's a pity; it's too bad
15. 照顾	(动)	zhàogù	to look after; to care for
16. 周到	(形)	zhōudao	attentive and satisfactory; thoughtful; considerate
17. 原谅	(动)	yuánliàng	to excuse; to forgive; pardon
18. 告别	(动)	gàobié	to say good-bye to
19. 转达	(动)	zhuǎndá	pass on; convey
20. 谢意	(名)	xièyì	gratitude; thankfulness
21. 希望	(动)	xīwàng	to hope; to wish; to expect
22. 能够	(助动)	nénggòu	can
23. 保持	(动)	bǎochí	to keep; to maintain; to preserve
24. 联系	(名)	liánxì	contact; touch; connection
25. 祝	(动)	zhù	to express good wishes; to wish
26. 一路	(名)	yīlù	all the way; throughout the journey

27. 平安　　（形）　píng'ān　　safe and sound; without mishap; well

三、会话 Dialogues

(一)

Tīngshuō nǐ xià gè yuè jiù yào zǒu le.
A：听说 你 下 个 月 就 要 走 了。
I was told you're leaving next month.

Wǒ de qiānzhèng xià gè yuè jiù dàoqī le.
B：我 的 签证 下 个 月 就 到期 了。
My visa expires next month.

Jīpiào dìnghǎo le ma?
A：机票 订好 了 吗？
Did you book your air ticket?

Wǒ yǐjīng dìngle xià yuè wǔ hào de fēijī piào.
B：我 已经 订了 下 月 五 号 的 飞机 票。
I have booked the air ticket on the 5th of next month.

Shíjiān guò de zhēn kuài, yī zhuǎnyǎn yī nián jiù guòqu le.
A：时间 过 得 真 快，一 转眼 一 年 就 过去 了。
How time flies! One year passed before we knew it.

Zhè cì lái Zhōngguó, bùjǐn yóulǎnle xǔduō míngshèng
B: 这 次 来 中国, 不仅 游览了 许多 名胜
gùjì, hái jiéshíle bù shǎo Zhōngguó péngyou.
古迹, 还 结识了 不少 中国 朋友。
I have not only visited many places of historic interest and scenic
beauty, but made many Chinese friends.

Kěxī nǐ méi qùchéng Xīzàng. Wǒ zhīdao nǐ zuì xiǎng qù
A: 可惜 你 没 去成 西藏。我 知道 你 最 想 去
nàge dìfang.
那个 地方。
It's a pity you haven't been to Tibet. I know it is the place you
wanted to go to most.

Xià cì ba, wǒ zhēngqǔ míngnián zài lái.
B: 下 次 吧, 我 争取 明年 再来。
Maybe next time. I'll do my best to come back next year.

Xià cì yīdìng yào qù Xīzàng, yǒu kěnéng dehuà, wǒ péi nǐ
A: 下 次 一定 要 去 西藏, 有 可能 的话, 我 陪 你
yīqǐ qù.
一起 去。
You must go to Tibet next time, and I'll go with you if possible.

Nà tài hǎo le! Yī yán wéi dìng!
B: 那 太 好 了! 一 言 为 定!
It will be great! That's settled then!

Yī yán wéi dìng!

A：一 言 为 定！

Yes, I promise.

（二）

Zhè cì zài Guǎngzhōu, dédàole nín nàme duō de

A：这 次 在 广州， 得到了 您 那么 多 的

bāngzhù, zhēn bù zhīdao rúhé gǎnxiè nín cái hǎo.

帮助，真 不 知道 如何 感谢 您 才 好。

I've got so much help from you in Guangzhou this time, and I really don't know how to express my gratitude.

Bù yòng kèqi. Wǒmen yǒu xǔduō dìfang zhàogù de bù

B：不 用 客气。我们 有 许多 地方 照顾 得 不

zhōudao, hái qǐng duōduō bāohán.

周到，还 请 多多 包涵。

Don't mention it. There are many things we haven't done. Please excuse us.

Yīnwèi shíjiān guānxi, lái bu jí xiàng Zhāng jīnglǐ

A：因为 时间 关系，来 不 及 向 张 经理

gàocí, qǐng tì wǒ xièxie tā.

告辞，请 替 我 谢谢 他。

There's been no time for me to say good-bye to Manager Zhang. Please give my thanks to him.

Zhāng jīnglǐ běnlái yào lái sòng nǐ de, dànshi línshí yǒu
B: 张 经理本来要来 送 你 的,但是 临时 有

shì, lái bù liǎo le.
事,来 不 了 了。

Manager Zhang wanted to come, but he is occupied with something
at the moment.

Wǒ xīwàng míngnián néng yǒu jīhuì yāoqǐng nín qù wǒmen
A: 我 希望 明年 能 有机会 邀请 您 去 我们

gōngsī fǎngwèn.
公司 访问。

I hope I'll get a chance to invite you to visit our company next
year.

Yǒu jīhuì dehuà wǒ yídìng qù.
B: 有 机会 的话我 一定 去。

I'm sure I'll go if there's a chance.

Xīwàng wǒmen jīnhòu néng jīngcháng bǎochí liánxì.
A: 希望 我们 今后 能 经常 保持 联系。

And I hope we'll keep in touch.

Wǒ xiāngxìn wǒmen hái huì yǒu hézuò de jīhuì.
B: 我 相信 我们 还会 有合作的 机会。

I believe that there will be a new chance for us to cooperate again.

Wǒmen hòuhuì yǒuqī. Zàijiàn!

A: 我们 后会 有期。再见！

　　I'm sure we'll meet again. Good-bye!

Zhù nín yī fān fēng shùn! Zàijiàn!

B: 祝 您 一 帆 风 顺！再见！

　　Bon voyage! Good-bye!

四、补充词语

Supplementary New Words and Phrases

1. 结识	（动）	jiéshí	to get to know sb.; to get acquainted with sb.
2. 争取	（动）	zhēngqǔ	to strive for; to fight for; to winover
3. 一言为定		yī yán wéi dìng	that's settled then
4. 包涵	（动）	bāohán	to excuse; to forgive
5. 告辞	（动）	gàocí	to take leave(of one's host)
6. 本来	（副）	běnlái	originally; at first
7. 送	（动）	sòng	to see sb. off or out
8. 临时	（副）	línshí	at the time when sth. happens
9. 邀请	（动）	yāoqǐng	to invite
10. 访问	（动）	fǎngwèn	to visit
11. 相信	（动）	xiāngxìn	to believe; to trust

12.合作	(动)	hézuò	to cooperate; to work together
13.后会有期		hòu huì yǒu qī	we'll meet again some day
14.一帆风顺		yī fān fēng shùn	smooth sailing; bon voyage

五、练习 Exercises

1. 替换练习：Subsitution drills：

Dōngxi shōushi de chà bu duō le.

1) 东西 收拾 得 差 不 多 了。

liànxí 练习	zuò 做
xíngli 行李	zhǔnbèi 准备
fángjiān 房间	dǎsǎo 打扫
yóupiào 邮票	mài 卖

Wǒ de qiānzhèng xià gè yuè jiù yào dàoqī le.

2) 我 的 签证 下 个 月 就 要 到期 了。

dìzhǐ 地址	gǎi 改
shēngri 生日	dào 到
gōngzuò 工作	kāishǐ 开始
xuéxí 学习	jiéshù 结束

2. 用 "可惜……" 改写下面的句子：

Change the following sentences into the pattern

"可惜…"：

Chúle tā yǐwài, biéren dōu lái le.

例：除了 他 以外，别人 都 来 了。→

Kěxī tā méiyǒu lái.

可惜 他 没有 来

Chúle Lāsà yǐwài, biéde dìfang dōu qù le.

1) 除了 拉萨 以外，别的 地方 都 去 了。

Chúle kǎoyā yǐwài, biéde dōngxi dōu chīdào le.

2) 除了 烤鸭 以外，别的 东西 都 吃到 了。

Chúle shùxué yǐwài, biéde dōu kǎo de hěn hǎo.

3) 除了 数学 以外，别的 都 考 得 很 好。

Chúle tàofáng yǐwài, biéde fángjiān dōu yǒu.

4) 除了 套房 以外，别的 房间 都 有。

· 607 ·

Chúle bóbo yǐwài, biéde qīnqi dōu jiàndào le.
5) 除了 伯伯 以外，别的 亲戚 都 见到 了。

3. 用所给词语填空：

Fill in the blanks with the given words：

yībiān   yībiān   bùjǐn   hái   yòu   yòu
(一边…一边…；不仅…还…；又…又…；

bùdàn   érqiě
不但…而且…)

Zhè zhǒng yīfu   hǎokàn   piányi.
1) 这 种 衣服_____好看_____便宜。

Tā   chīfàn   kàn diànshì.
2) 他_____吃饭_____看 电视。

Tā   huì xià xiàngqí,   huì xià wéiqí.
3) 她_____会 下 象棋,_____会 下 围棋。

Zhè cì lái Zhōngguó,   yóulǎnle xǔduō
4) 这 次 来 中国, _____ 游览了 许多

míngshèng gǔjì,   jiéshíle bù shǎo Zhōngguó
名胜 古迹,_____结识了 不 少 中国

péngyou.
朋友。

4. 完成下列句子：Complete the following sentences：

Hěn bàoqiàn,
1) 很 抱歉,_____。

Duìbuqǐ,
2) 对不起,_____。

Láojià,
3) 劳驾，_____。

Qǐng yuánliàng,
4) 请　原谅，_____。

Xīwàng
5) 希望_____。

Zhù nín
6) 祝　您_____。

京　剧

京剧是中国影响最大、最有代表性的戏曲种类，京剧剧团遍布全国。

京剧的起源，应该追溯至清朝末年的"徽班进京"。1790年秋，一个叫做高朗亭的安徽人率领一个名为"三庆"的剧团来到北京，为当时的皇帝乾隆庆贺80大寿，由于他们唱腔优美，剧目多样，受到人们的欢迎。随后，其他三个剧团"四喜"、"春台"、"和春"也纷纷进入北京表演戏曲。由于古代中国人把剧团称为"戏班子"，所以人们称上述事件为"徽班进京"。

徽班进京之后，与当地的戏曲逐步融合，到同治、光绪年间，京剧得到完善，出现了一大批著名演员，如谭鑫培、王瑶卿等。京剧四大名旦梅兰芳、程砚秋、尚小云、荀慧生都是王瑶卿的学生。

京剧有许多优秀剧目，大家熟悉的有《穆桂英挂帅》、《秦香莲》、《霸王别姬》等等。如果按题材和表演形式划分，可分为文戏、武戏、唱功戏、做功戏、群戏、折子戏等。

说到京剧，人们首先想到的是它的"脸谱"。这是一种富于装饰性的、夸张了的人物造型方法，它以各种鲜明的色彩和规则的图案来表示人物的品德、性格等特征，和盔头、髯口、服饰、靴履构成京剧的妆扮。脸谱被看做是中国戏曲的象征。

京剧的演员可分为生、旦、净、末、丑等行当，其标准是年龄、性别、性格和创作者对人物的褒贬。京剧的伴奏称为"场面"，有弦乐器（如京胡）、弹拨乐器（如小三弦）和吹管乐器（如笛子）组成，以弦乐器为主要乐器。

京剧表演是一整套相互制约又相得益彰的规范化的程式，不掌握这些程式，京剧的艺术美就无法完整地表现出来。

Peking Opera

Peking Opera is the most influencial and most representative of the traditional operas in China. Peking Opera troupes are to be found all over the country.

The origin of Peking Opera can be traced back to "the Anhui Opera Troupes' Entry to Peking" in the late Qing Dynasty. In the autumn of 1790, an opera troupe called "San Qing" from Anhui Province, led by a man called Gao Langting, arrived in Beijing to celebrate the 80th birthday of the Emperor Qianlong. The troupe enjoyed a warm welcome both for the graceful and exquisite singing of the actors and actresses and for its variety of forms. Consequently, three other opera troupes of "Sixi," "Chuntai," and "Hechun," followed the way and came into Beijing for the performance of operas. This event is so-called "the Anhui Opera Troupes' Entry to Peking."

Ever since the entry to Beijing, the Anhui opera troupes had gradually mixed together with other local operas and had already become a mature form of art during the regime period of Tongzhi and Guangxu. Peking Opera has created a large number of well-known actors and actresses, such Tan Xinpei,

Wang Yaoqing, etc., whose students Mei Lanfang, Cheng Yanqiu, Shang Xiaoyun, and Xun Huisheng were later to be called "the Four Famous Female Characters in Peking Opera."

There are a great number of excellent plays in Peking Opera, e.g. "Mu Guiying, the Commander," "the Conqueror's Farewell," and "Qin Xianglian." When classified according to the themes and forms or performance, Peking Opera falls into Civil Play, Military Play, Singing Play, Acting Play, Group Play, and Highlight Play, etc..

Most characteristic of the Peking Opera are the Facial Makeups. It is an exaggerated ornamental figure modelling, with a variety of brilliant colors and regulated masque-designing to indicate the virtues and characters of the figures. Together with helmets, beards, clothes, and boots, they constitute the main costumes of the Peking Opera. Facial Makeup is regarded as a symbol of Chinese opera.

The acting types of Peking Opera can be divided into Sheng, Dan, Jing, Mo, and Chou, etc., according to the age, sex, character, and the author's attitude toward the figure. Musical accompaniment of Peking Opera include stringed instruments (e.g. Peking violin), plucked instruments (3-string lute) and wind instruments (flute), with the first two forming the main body of the musical accompaniment.

The performance of Peking Opera is a series of interrelated stylized patterns, a basic knowledge of which is the key to the appreciation of the artistic beauty of Peking Opera.

(translated by Dai Canyu)

李白和杜甫

李白和杜甫是唐朝的两位大诗人，也是中国最负盛名的两位大诗人。

李白出生于盛唐时期，性格豪迈，感情充沛，年轻时一心想在政治上大显身手，施展自己的才华与抱负。由于他的诗雄浑奔放，文名远扬，当时的皇帝曾请他入朝写诗。李白生性耿直，不久就受到官僚排挤，离开政治中心。

李白的诗歌，以其出人意表的想像、浪漫的情怀、奔放的语句，给人以壮阔雄奇的诗韵之美，其著名诗篇至今还广为吟诵。后人评价李白的诗是"清水出芙蓉，天然去雕饰"。

杜甫是与李白齐名的诗人，但其诗歌风格不同于李白，杜诗偏重于纪实。杜甫的时代是唐朝末年，社会动荡的现实决定了杜甫不可能像李白那样纵情于山水之美，他的诗集中反映了他眼中所见的百姓流离失所、生死难测的疾苦，反映了战乱带给百姓的灾难。在他的诗中，有着明显的对平民的同情，体现出了中国传统知识分子 关心平民的人道主义传统。杜甫的诗，也因此被人们称为"史诗"。

李白以飘逸俊朗见长，其诗歌风格是空灵的，人们称他为"诗仙"；杜甫的诗以沉郁顿挫为主，其风格是写实的，人们称他为"诗圣"。

Li Bai and Du Fu

Li Bai and Du Fu were two great poets in the Tang Dynasty and the best known poets in China.

Born in the prime of the Tang Dynasty, Li Bai was a man with an emotional temperament and uninhibited character. When he was young, he was ambitious and eager to show his talents in officialdom. His poems, which are unrestrained and powerful, were so popular among the people of the time that he was called to the court to wait on and humor the emperor by writing poetry. Li Bai however, was born an upright man. Soon he left the center of the officialdom as a result of discrimination of the bureaucrats.

The poems by Li Bai have a grand and imposing poetic beauty with their unexpected imageries, romantic feelings and overwhelming enthusiasm. His famous poems and lines are still popular among people today. His poetry was recommended as "lotus out of limpid water and natural without being affected."

Du Fu was a poet as famous as Li Bai. But his style is different from the style of Li Bai. His poems are more realistic because Du Fu lived in the late Tang Dynasty which was a turbulent time and it was naturally impossible for him to be absorbed too much in describing natural beauty as Li Bai did. He usually wrote about what sufferings he saw with his own eyes of the people who became homeless and unable to control their own fate and about their miseries brought about by chaos caused by wars. His sympathies shown in his poems are apparent with common people, which reflect a kind of humanitarianism which was typical of the Chinese intellectuals in their concern for the common people. For this tendency, Du Fu's poems are called "historical poems."

　　Li Bai was good at writing elegant and beautiful lines. His style was an exquisite one. Hence, people call him "fairy poet." Du Fu's poems have a heavy and melodious style, tending to be realistic. People therefore call Du Fu "holy poet."

中国主要传统节日
Major Traditional Festivals in China

春节
Spring Festival

农历正月初一
The first day of the first lunar month

元宵节/灯节
Lantern Festival

农历正月十五
The 15th of the 1st lunar month

清明节
Qingming Festival

农历二月中
The middle of the 2nd lunar month

端午节
Dragon Boat Festival

农历五月初五
The 5th of the 5th lunar month

中秋节
Mid-Autumn Festival

农历八月十五
The 15th of the 8th lunar month

重阳节
Double Ninth Festival

农历九月初九
The 9th of the 9th lunar month

总 词 汇 表

Zǒng cíhuì biǎo

Vocabulary Index

A

阿拉伯数字	(专)	Ālābó shùzì	Arabic numeral	10
阿拉伯语	(专)	Ālābóyǔ	Arabic	22
阿司匹林	(名)	āsīpǐlín	aspirin	20
哎呀	(叹)	āiyā	(an interjection)	12
癌症	(名)	áizhèng	cancer	19
爱	(动)	ài	to like; to love	12
爱国	(动)	àiguó	love one's country; be patriotic	25
爱好	(动)	àihào	to love; to like; to be fond of; interest; hobby	29
爱人	(名)	àiren	husband; wife; spouse	4
爱滋病	(名)	àizībìng	AIDS	19
安静	(形)	ānjìng	quiet	11
安眠药	(名)	ānmiányào	sleeping pill	20
安全带	(名)	ānquándài	safety belt	26
按	(动)	àn	to press; to push	26
按钮	(名)	ànniǔ	push button	26
按时	(副)	ànshí	on time	20
澳大利亚	(专)	Àodàlìyà	Australia	4

B

BP机	（名）	BPjī	beeper	17
八	（数）	bā	eight	2
八月	（名）	bāyuè	August	3
巴西	（名）	Bāxī	Brasil	4
把	（介）	bǎ	（a preposition）	10
把	（量）	bǎ	（a measure word）	11
把	（动）	bǎ	to fill; to take（pulse）	19
爸爸	（名）	bàba	father	4
白	（形）	bái	white	6
白菜	（名）	báicài	Chinese cabbage	11
白酒	（名）	báijiǔ	white spirit	11
白天鹅宾馆	（专）	Báitiān'é Bīnguǎn	White Swan Hotel	6
白云山	（专）	Báiyún Shān	Baiyun Mountain	8
百分之…	（数）	bǎifēnzhī…	per cent	10
百货大楼	（名）	bǎihuò dàlóu	department store	7
百事可乐	（专）	Bǎishì Kělè	Pepsi-Cola	11
摆	（动）	bǎi	to put; to place	22
拜访	（动）	bàifǎng	to visit; to call on	6
拜年	（动）	bàinián	pay a New Year call	25
班	（量）	bān	（a measure word）	9
版本	（名）	bǎnběn	edition	15
半	（数）	bàn	half	2
办	（动）	bàn	to do; to go through formalities	10
办法	（名）	bànfǎ	way; means; measure	27
帮	（动）	bāng	to help	17
帮忙	（动）	bāngmáng	to help; to give a hand; to do a favour	16

棒	（形）	bàng	good; excellent	23
包裹单	（名）	bāoguǒdān	parcel form	16
包涵	（动）	bāohán	to excuse; to forgive	30
包扎	（动）	bāozā	to bind up; to pack	19
包子	（名）	bāozi	steamed savoury buns	12
保持	（动）	bǎochí	to keep; to maintain; preserve	30
饱	（形）	bǎo	full	12
抱歉	（形）	bàoqiàn	sorry	7
报纸	（名）	bàozhǐ	newspaper	15
杯	（名）	bēi	cup; glass	11
北	（名）	běi	north	6
北方	（名）	běifāng	the north	4
北方人	（名）	běifāngrén	the northerner	25
北京	（专）	Běijīng	Beijing	4
北京大学	（专）	Běijīng Dàxué	Beijing University	15
北京烤鸭	（专）	Běijīng Kǎoyā	Beijing roast duck	12
北京路	（专）	Běijīng Lù	Beijing Road	3
背	（名）	bèi	back	18
背面	（名）	bèimiàn	the back; the reverse side	16
被	（介）	bèi	(mark of the passive)	25
被子	（名）	bèizi	quilt	27
本	（量）	běn	(a measure word)	15
本来	（副）	běnlái	originally; at first	30
绷带	（名）	bēngdài	bandage	20
鼻子	（名）	bízi	nose	18
比	（介）	bǐ	to; than	10
比较	（副）	bǐjiào	quite; comparetively	13
比赛	（名）	bǐsài	match; competition	25
碧螺春	（名）	bìluóchūn	Biluochun tea	11

毕业	（动）	bìyè	to graduate	3
币	（名）	bì	money; currency	8
必须	（副）	bìxū	must; have to	16
鞭炮	（名）	biānpào	firecrackers; a string of small firecrackers	25
边	（名）	biān	side; edge	4
编辑	（名）	biānjí	editor	15
鳊鱼	（名）	biānyú	bream	11
扁桃腺	（名）	biǎntáoxiàn	tonsils	18
变化	（名）	biànhuà	change	
表	（名）	biǎo	watch	2
表哥	（名）	biǎogē	cousin (son of mother's brothers and sisters, or of father's sisters, elder than oneself)	
表妹	（名）	biǎomèi	cousin (daughter of mother's brothers and sisters, or of father's sisters, younger than oneself)	35
别	（副）	bié	don't	3
别的	（代）	biéde	other; else	3
别人	（名）	biéren	the others; somebody	7
宾馆	（名）	bīnguǎn	guesthouse; hotel	6
兵马俑	（名）	bīngmǎyǒng	terra-cotta warriors and horses	28
冰	（名）	bīng	ice	24
饼干	（名）	bǐnggān	biscuit	13
病	（名）	bìng	ill; sick; disease	19
病人	（名）	bìngrén	patient	18
拨	（动）	bō	to dial (phone number)	17
波音	（专）	Bōyīn	Boeing	26
菠菜	（名）	bōcài	spinach	11
伯伯	（名）	bóbo	father's elder brother	5

伯母	（名）	bómǔ	aunt（wife of father's elder brothers）	5
脖子	（名）	bózi	neck	18
不但…而且…		bùdàn…érqiě…	not only …but also…	29
不过	（连）	bùguò	but	13
不仅…也…		bùjǐn…yě…	not only…	29
不要紧		bù yàojǐn	It doesn't matter	10
布鞋	（名）	bùxié	cotton shoes	14
部	（量）	bù	(a measure word)	17

C

擦破	（动）	cāpò	grazed	18
猜	（动）	cāi	to guess	25
才	（副）	cái	just	2
菜单	（名）	càidān	menu	11
餐车	（名）	cānchē	dining-car	9
餐厅	（名）	cāntīng	restaurant	11
草鱼	（名）	cǎoyú	grass carp	11
草原	（名）	cǎoyuán	grassland	28
厕所	（名）	cèsuǒ	toilet	9
层	（量）	céng	floor	6
叉子	（名）	chāzi	fork	12
插头	（名）	chātóu	plug	27
插座	（名）	chāzuò	socket；outlet	27
茶	（名）	chá	tea	11
茶匙	（名）	cháchí	teaspoon	20
茶壶	（名）	cháhú	teapot	11
茶几	（名）	chájī	tea table；side table	22
茶具	（名）	chájù	tea set	15

查	（动）	chá	to check; to look up	3
差	（动）	chà	less	2
差不多	（动）	chà bu duō	almost; nearly; similar	9
长	（形）	cháng	long	1
长安街	（专）	Cháng'ān Jiē	Chang'an Street	8
长城	（专）	Chángchéng	the Great Wall	28
长江	（专）	Cháng Jiāng	the Changjiang(Yangtze)River	28
长沙	（专）	Chángshā	Changsha	9
长途	（名）	chángtú	long-distance	17
长途电话	（名）	chángtú diànhuà	long-distance call	17
长途汽车	（名）	chángtú qìchē	country bus; coach; long-distance bus	8
尝	（动）	cháng	to taste; to try	12
常常	（副）	chángcháng	often	2
唱碟	（名）	chàngdié	CD	29
唱片	（名）	chàngpiàn	records	15
嫦娥	（专）	Cháng'é	the goddess of the moon	25
嫦娥奔月		Cháng'é bēn yuè	the legend in which Chang'e swallowed elixir stolen from her husband and flew to the moon	25
钞票	（名）	chāopiào	bank note; paper money	21
超级市场	（名）	chāojí shìchǎng	supermarket	7
超重	（动）	chāozhòng	overweight	16
朝	（介）	cháo	towards; facing	6
朝代	（名）	cháodài	dynasty	28
潮湿	（形）	cháoshī	moist; damp	24
吵	（动）	chǎo	noisy	27
炒	（动）	chǎo	to fry; to stir-fry	12
炒饭	（名）	chǎofàn	rice, fried	12
车	（名）	chē	car; bus; etc.	2

车费	（名）	chēfèi	fare	21
陈	（专）	Chén	(a surname)	1
趁	（介）	chèn	while	12
衬衣	（名）	chènyī	shirt	14
称	（动）	chēng	to weigh	16
成	（动）	chéng	into	10
城	（名）	chéng	city	8
城市	（名）	chéngshì	city	9
乘	（动）	chéng	to take; to ride	8
乘客	（名）	chéngkè	passenger	26
吃	（动）	chī	to eat	11
迟到	（动）	chídào	to be late	2
尺	（名）	chǐ	*chi*, a unit of length (= 1/3 meter)	14
尺子	（名）	chǐzi	ruler	15
冲洗	（动）	chōngxǐ	to develop(film)	29
抽	（动）	chōu	to smoke	20
抽筋	（动）	chōujīn	cramps	19
臭	（形）	chòu	bad smell	12
出	（动）	chū	come off the press; come out	15
出版	（动）	chūbǎn	to publish	15
出版社	（名）	chūbǎnshè	press; publishing house	15
出口	（名）	chūkǒu	exit	7
出来	（动）	chūlai	come out	2
出生	（动）	chūshēng	to be born	5
出生年月日		chūshēng nián yuè rì	date of birth	27
出事儿	（动）	chūshìr	to have an accident	21
出血	（动）	chūxiě	to bleed	18
出租	（动）	chūzū	to hire; to rent	21

出租车	（名）	chūzūchē	taxi	21
出租汽车	（名）	chūzū qìchē	taxi	21
初	（名）	chū	at the beginning of	3
初		chū	（a prefix）	25
除了…以外		chúle…yǐwài	except; besides	28
除夕	（名）	chúxī	New Year's Eve	25
厨房	（名）	chúfáng	kitchen	22
穿	（动）	chuān	to wear	14
传染	（动）	chuánrǎn	to infect; infectious	19
传说	（名）	chuánshuō	legend	25
传统	（名）	chuántǒng	tradition; traditional	25
传真	（名）	chuánzhēn	facsimile	17
船	（名）	chuán	boat	8
创可贴	（名）	chuāngkětiē	Band-Aids	20
窗户	（名）	chuānghu	window	27
窗口	（名）	chuāngkǒu	window	16
窗帘儿	（名）	chuāngliánr	curtain	27
床单儿	（名）	chuángdānr	bed-sheet	27
床位	（名）	chuángwèi	bed	27
春节	（专）	Chūn Jié	the Spring Festival	25
春卷儿	（名）	chūnjuǎnr	spring rolls	12
春联	（名）	chūnlián	Spring Festival couplets （pasted on gateposts or door panels）; New Year scrolls	25
春天	（名）	chūntiān	spring	3
春游	（名）	chūnyóu	spring outing	25
纯	（形）	chún	pure	14
词典	（名）	cídiǎn	dictionary	15
词汇	（名）	cíhuì	vocabulary	22
磁带	（名）	cídài	tape	29

磁卡电话	（名）	cíkǎ diànhuà	card telephone	17
瓷器	（名）	cíqì	china ware; porcelain	15
刺绣	（名）	cìxiù	embroidery	15
次	（量）	cì	(a measure word)	6
葱	（名）	cōng	onion; scallion	12
从	（介）	cóng	from	1
醋	（名）	cù	vinegar	12
脆皮乳猪	（专）	Cuìpí Rǔzhū	crisp roast suckling pig	12
错	（形）	cuò	wrong	7
重	（副）	chóng	again	10
重庆	（专）	Chóngqìng	Chongqing	26
重新	（副）	chóngxīn	again	10

D

打	（动）	dǎ	to make (a phone call)	17
打	（动）	dǎ	to play	2
打	（动）	dǎ	to give (injection)	19
打扮	（动）	dǎban	to dress up; to make up; to deck out	25
打的	（动）	dǎdí	to take a taxi	21
打扰	（动）	dǎrǎo	to disturb	2
打扫	（动）	dǎsǎo	to sweep; to clean	25
打算	（动）	dǎsuan	to plan	10
打折	（动）	dǎzhé	to sell at a discount; to give a discount	15
大巴	（名）	dàbā	luxury bus	8
大概	（副）	dàgài	probably; about	3
大哥大	（名）	dàgēdà	mobile phone	17
大华	（专）	Dàhuá	(name of a company)	6

大家	（代）	dàjiā	everybody	1
大麻哈鱼	（名）	dàmáhǎyú	salmon fish	11
大门	（名）	dàmén	entrance; gate	7
大门口	（名）	dàménkǒu	the main entrance	17
大使馆	（名）	dàshǐguǎn	embassy	21
大虾	（名）	dàxiā	prawns	11
大象	（名）	dàxiàng	elephant	28
大学	（名）	dàxué	university	29
大衣	（名）	dàyī	coat	14
大约	（副）	dàyuē	about	9
大自然	（名）	dàzìrán	nature	25
呆	（动）	dāi	to stay	28
大夫	（名）	dàifu	doctor	4
带	（动）	dài	to bring	7
担心	（形）	dānxīn	to worry; to feel anxious	19
单	（名）	dān	form; bill	10
单号		dān hào	odd numbers	6
单人房	（名）	dānrénfáng	single room	27
但是	（连）	dànshì	but	23
蛋糕	（名）	dàngāo	cake	13
当然	（副）	dāngrán	of course	4
当心	（动）	dāngxīn	take care; be careful; look out	28
当成	（动）	dàngchéng	to treat as; to regard as	25
刀子	（名）	dāozi	knife	12
倒	（动）	dǎo	to change; to exchange	8
倒霉	（形）	dǎoméi	to have bad luck	27
到	（动）	dào	to arrive	3
到处	（副）	dàochù	at all places; everywhere	22
到期	（动）	dàoqī	to become due; to expire	30
道	（量）	dào	(a measure word)	12

德国人	（名）	Déguórén	German	1
德译本	（名）	Déyìběn	German edition	15
得	（动）	dé	to get	19
得	（助动）	děi	have to; should	7
…的话	（助）	…dehuà	if	9
的确	（副）	díquè	indeed; really	12
…的时候		…de shíhou	when	2
的士	（名）	díshì	taxi	21
灯节	（专）	Dēng Jié	the Lantern Festival	25
灯泡儿	（名）	dēngpàor	(electric)bulb; light bulb	27
登	（动）	dēng	to climb; to mount	28
登机手续		dēngjī shǒuxù	check in (at the airport)	26
登记表	（名）	dēngjìbiǎo	registration form	27
等	（动）	děng	to wait	11
邓聪	（专）	Dèng Cōng	(name of a person)	22
低	（形）	dī	low	24
低落	（形）	dīluò	low; downcast	18
低血压	（名）	dīxuèyā	low blood pressure	19
底	（名）	dǐ	at the end of	3
底片	（名）	dǐpiàn	negative film	29
地道	（名）	dìdào	tunnel	7
地道	（形）	dìdao	pure; typical	23
地理	（名）	dìlǐ	geography	29
地区	（名）	dìqū	area; district; region	16
地毯	（名）	dìtǎn	carpet	15
地铁	（名）	dìtiě	underground; subway	8
地图	（名）	dìtú	map	7
地址	（名）	dìzhǐ	address	6
弟弟	（名）	dìdi	younger brother	4
第		dì	(a prefix)	9

颠簸	（形）	diānbǒ	bumpy	26
点	（动）	diǎn	to count; to check	10
点	（动）	diǎn	to order	11
点	（量）	diǎn	o'clock	2
点钟	（量）	diǎnzhōng	o'clock	2
碘酒	（名）	diǎnjiǔ	iodine	20
电车	（名）	diànchē	trolley bus	8
电池	（名）	diànchí	battery	13
电话	（名）	diànhuà	telephone	17
电话号码簿		diànhuà hàomǎ bù	telephone directory	17
电脑	（名）	diànnǎo	computer	22
电视	（名）	diànshì	television	22
电梯	（名）	diàntī	elevator	6
电线	（名）	diànxiàn	wire; cable	27
电压	（名）	diànyā	voltage	27
电影	（名）	diànyǐng	movie; film	29
电影院	（名）	diànyǐngyuàn	movie theatre	21
吊灯	（名）	diàodēng	pendent lamp	22
钓鱼	（动）	diàoyú	fishing	29
掉	（动）	diào	to fall	26
丁字路口	（名）	dīngzì lùkǒu	T-shaped road; junction	7
订	（动）	dìng	to book	9
丢	（动）	diū	to loose; lost	16
东边	（名）	dōngbian	east	6
东方	（名）	dōngfāng	east	8
东方宾馆	（专）	Dōngfāng Bīnguǎn	Dongfang Hotel	8
东方乐园	（专）	Dōngfāng Lèyuán	Dongfang Amusement Park	8
东京	（专）	Dōngjīng	Tokyo	17
冬天	（名）	dōngtiān	winter	3
懂	（动）	dǒng	to understand	23

动	（动）	dòng	to perform（an operation）; to have（an operation）	19
动脉	（名）	dòngmài	artery	19
动物园	（名）	dòngwù yuán	zoo	7
栋	（量）	dòng	（a measure word）	6
豆腐	（名）	dòufu	bean curd	11
豆沙	（名）	dòushā	sweetened bean paste	25
豆芽儿	（名）	dòuyár	bean sprouts	11
读	（动）	dú	to read	23
堵	（动）	dǔ	clogged	27
肚子	（名）	dùzi	belly; abdomen; stomach	18
度	（量）	dù	degree	24
镀金	（动）	dùjīn	gold-plated	15
端午节	（专）	Duānwǔ Jié	the Dragon Boat Festival（the 5th of the 5th lunar month）	25
端阳节	（专）	Duānyáng Jié	the Dragon Boat Festival	25
短	（形）	duǎn	short	14
短裤	（名）	duǎnkù	shorts	14
段	（量）	duàn	（a measure word）	28
断	（动）	duàn	cut off	17
断	（动）	duàn	broken	18
锻炼	（动）	duànliàn	exercise	2
兑换	（动）	duìhuàn	to change; to exchange	10
兑换单	（名）	duìhuàndān	exchange form	10
兑换率	（名）	duìhuànlǜ	rate of exchange	10
对	（介）	duì	to	20
对不起	（动）	duìbuqǐ	sorry	2
对方	（名）	duìfāng	the other side	17
对面	（名）	duìmiàn	opposite	7
顿	（量）	dùn	（a measure word）	12

| 盾 | （名） | dùn | Indonesia rupiah | 10 |
| 多 | （形） | duō | many; much | 4 |

E

鹅	（名）	é	goose	11
俄罗斯	（专）	Éluósī	Russia	4
峨嵋山	（专）	Éméi Shān	Emei Mountain（in Sichuan）	28
恶心	（形）	ěxin	nauseous	18
恶梦	（名）	èmèng	nightmare	18
饿	（形）	è	hungry	11
儿科	（名）	érkē	department of pediatrics	18
儿子	（名）	érzi	son	4
而且	（连）	érqiě	and	24
耳朵	（名）	ěrduo	ear	18
耳环	（名）	ěrhuán	ear ring	15
二	（数）	èr	two	2
二月	（名）	èryuè	February	3

F

发	（动）	fā	to send（a telegram, etc.）	17
发车	（动）	fāchē	to leave; to depart	9
发动机	（名）	fādòngjī	engine	26
发冷	（动）	fālěng	to feel cold（or chilly）	18
发烧	（动）	fāshāo	fever	18
发炎	（动）	fāyán	inflammation	18
法国人	（名）	Fǎguórén	Franch	1
法郎	（名）	fǎláng	franc	10
番茄	（名）	fānqié	tomato	11

番茄鸡蛋汤(专)	Fānqié Jīdàn Tāng	tomato egg soup	12
翻译 （动）	fānyì	to translate	15
饭店 （名）	fàndiàn	hotel; restaurant	6
方便 （形）	fāngbiàn	convenient	6
方面 （名）	fāngmiàn	aspect; side; field	29
方糖 （名）	fāngtáng	cube sugar	13
房间 （名）	fángjiān	room	6
房子 （名）	fángzi	house; building	5
访问 （动）	fǎngwèn	to visit	30
放 （动）	fàng	to let off; to give out	25
放 （动）	fàng	to put	11
放松 （形）	fàngsōng	relax	19
放心 （动）	fàngxīn	to set one's mind at rest; to be at ease; don't worry	8
飞 （动）	fēi	to fly	26
飞机 （名）	fēijī	airplane	9
飞行 （名）	fēixíng	flying	26
飞行员 （名）	fēixíngyuán	pilot	26
非…不可	fēi…bùkě	must; have to	28
非常 （副）	fēicháng	extremely; highly	5
非洲 （专）	Fēi Zhōu	Africa	16
肥 （形）	féi	wide	14
肥皂 （名）	féizào	soap	13
肺 （名）	fèi	lung	19
肺炎 （名）	fèiyán	pneumonia	19
费 （名）	fèi	fee; charge	17
分 （动）	fēn	to divide; to distinguish	5
分 （量）	fēn	minute	2
分机 （名）	fēnjī	extension	17
分钟 （量）	fēnzhōng	minute	2

份	（量）	fèn	(a measure word)	15
风	（名）	fēng	wind	24
风景	（名）	fēngjǐng	view; scenery	26
风力	（名）	fēnglì	wind-force	24
风俗	（名）	fēngsú	custom	25
封	（量）	fēng	(a measure word)	16
蜂蜜	（名）	fēngmì	honey	13
服	（动）	fú	to take (medicine)	20
服务	（名）	fúwù	service	17
服务员	（名）	fúwùyuán	waiter; waitress	12
服用	（动）	fúyòng	to take (medicine)	20
福建	（专）	Fújiàn	Fujian (Province)	5
幅	（量）	fú	(a measure word)	15
父母	（名）	fùmǔ	parents	3
付款	（动）	fùkuǎn	to pay	17
妇科	（名）	fùkē	department of gynecology	18
附近	（名）	fùjìn	nearby	6
复查	（动）	fùchá	to check; to reexamine	20
复杂	（形）	fùzá	complicated; complex	5

G

该	（助词）	gāi	should; must	2
干干净净		gāngān-jìngjìng	clean; neat and tidy	25
干净	（形）	gānjìng	clean; neat and tidy	22
肝炎	（名）	gānyán	hepatitis	19
肝脏	（名）	gānzàng	liver	18
赶	（动）	gǎn	rush for	21
感觉	（动）	gǎnjué	to feel	18
感冒	（名）	gǎnmào	common cold	18

感谢	（动）	gǎnxiè	to thank	7
感兴趣		gǎn xìngqù	to be interested	29
刚	（副）	gāng	just	4
刚刚	（副）	gānggāng	a moment ago; just now	27
钢笔	（名）	gāngbǐ	fountain pen	15
钢琴	（名）	gāngqín	piano	22
港币	（名）	gǎngbì	Hong Kong dollar	10
高	（形）	gāo	tall; high	4
高度	（名）	gāodù	altitude; height	26
高跟儿鞋	（名）	gāogēnrxié	high-heeled shoes	14
高手	（名）	gāoshǒu	master; master-hand	29
高兴	（形）	gāoxìng	happy; glad	1
高血压	（名）	gāoxuèyā	high blood pressure	19
告别	（动）	gàobié	to say good-bye to	30
告辞	（动）	gàocí	to take leave (of one's host)	30
告诉	（动）	gàosu	to tell	6
哥哥	（名）	gēge	elder brother	4
鸽子	（名）	gēzi	pigeon	11
歌曲	（名）	gēqǔ	songs	29
胳膊	（名）	gēbo	arm	18
割破		gēpò	cut	18
格林	（专）	Gélín	Green	2
各种各样		gèzhǒng-gèyàng	all kinds of	25
给	（介）	gěi	(a preposition)	15
更	（副）	gèng	more; even more	8
工艺品	（名）	gōngyìpǐn	handicraft	22
功夫	（名）	gōngfu	*gongfu*	29
公共	（形）	gōnggòng	public	7
公共汽车	（名）	gōnggòng qìchē	bus	7
公公	（名）	gōnggong	father-in-law(husband's father)	5

公斤	（量）	gōngjīn	kilogram	13
公里	（量）	gōnglǐ	kilometer	7
公司	（名）	gōngsī	company	4
公用电话	（名）	gōngyòng diànhuà	public telephone	17
共同	（形）	gòngtóng	common	29
购物	（动）	gòuwù	to buy things; shopping	13
够	（动）	gòu	enough	9
姑父	（名）	gūfu	uncle (husband of father's sister)	5
姑妈	（名）	gūmā	aunt(father's sisters)	5
古典	（形）	gǔdiǎn	classical	29
骨科	（名）	gǔkē	department of orthopaedics	18
故宫	（专）	Gùgōng	the Palace Museum	18
故事	（名）	gùshi	story	25
刮	（动）	guā	to blow	24
挂	（动）	guà	to hang; to put up	22
挂号	（动）	guàhào	to register	16
挂号处	（名）	guàhàochù	registration office	18
挂号信		guàhào xìn	registered letter	16
挂毯	（名）	guàtǎn	tapestry	15
拐	（动）	guǎi	to turn	7
拐弯儿	（动）	guǎiwānr	to turn a corner	7
怪不得	（副）	guài bu de	no wonder; so that's why; that explains why	28
关	（动）	guān	to turn off	27
关节	（名）	guānjié	joint	18
关系	（名）	guānxi	relationship	5
关于	（介）	guānyú	about	16
管	（动）	guǎn	bother about; mind	12
观	（名）	guàn	Taoist temple	28

冠军	（名）	guànjūn	champion	29
盥洗盆	（名）	guànxǐpén	wash-basin	27
光	（形）	guāng	finished	9
光临	（动）	guānglín	presence(of a guest)	11
广场	（名）	guǎngchǎng	square	8
广东	（专）	Guǎngdōng	Guangdong(Province)	4
逛	（动）	guàng	to stroll; to ramble	29
逛街	（动）	guàngjiē	to go window-shopping	29
桂花	（名）	guìhuā	cassia	22
桂林	（专）	Guìlín	Guilin	26
桂林山水甲天下		Guìlín shānshuǐ jiǎ tiānxià	the mountains and water in Guilin are the finest under heaven.	28
柜子	（名）	guìzi	cupboard; cabinet	22
贵	（形）	guì	expensive	9
贵姓		guìxìng	What's your surname? (polite)	1
鳜鱼	（名）	guìyú	mandarin fish	11
国画	（名）	guóhuà	Chinese painting	15
国籍	（名）	guójí	nationality	27
国际	（形）	guójì	international	17
国际大酒店	（专）	Guójì Dà Jiǔdiàn	the International Hotel	17
果汁	（名）	guǒzhī	fruit juice	11
过	（动）	guò	past; after	2
过	（动）	guò	across	7
过	（助）	guo	(an aspect particle)	3
过度	（形）	guòdù	over-; excessive	19
过奖	（动）	guòjiǎng	overpraise; undeserved compliment	23
过敏	（动）	guòmǐn	allergy; allergic	20

过去	（名）	guòqù	in or of the past	29

H

哈里	（专）	Hālǐ	Harry	27
还	（副）	hái	still; yet	21
还是	（副）	háishi	still	23
海	（名）	hǎi	sea	4
海口	（专）	Hǎikǒu	Haikou	26
海南岛	（专）	Hǎinán Dǎo	Hainan Island	5
海滩	（名）	hǎitān	seabeach; beach	28
海鲜	（名）	hǎixiān	seafood	11
海珠广场	（专）	Hǎizhū Guǎngchǎng	Haizhu Square	8
害怕	（动）	hàipà	to be afraid of; to be scared	20
含片	（名）	hánpiàn	throat lozenges	20
旱灾	（名）	hànzāi	drought	24
汉德词典	（专）	Hàn-Dé Cídiǎn	Chinese-German dictionary	15
汉英词典	（专）	Hàn-Yīng Cídiǎn	Chinese-English dictionary	15
汉语	（专）	Hànyǔ	Chinese	15
汉字	（专）	Hànzì	Chinese character	23
杭州	（专）	Hángzhōu	Huangzhou	9
航班	（名）	hángbān	flight	26
航空	（名）	hángkōng	airmail	16
航空公司		hángkōng gōngsī	airlines	26
蚝	（名）	háo	oyster	11
好	（形）	hǎo	good	1
好玩儿	（形）	hǎowánr	amusing; interesting	3
好像	（副）	hǎoxiàng	seem; be like	30
号	（量）	hào	date	3
号儿	（名）	hàor	size	14

喝	（动）	hē	to drink	11
合身	（形）	héshēn	fit	14
合适	（形）	héshì	suitable; fit	14
合作	（动）	hézuò	to cooperate; to work together	30
和…一样		hé…yīyàng	as same as	9
和尚	（名）	héshang	Buddhist monk	28
荷花	（名）	héhuā	lotus	22
盒	（量）	hé	box	13
黑	（形）	hēi	black; dark	14
很	（副）	hěn	very	1
恒山	（专）	Héng Shān	the Hengshan Mountain（in Shanxi）	28
衡山	（专）	Héng Shān	the Hengshan Mountain（in Hunan）	28
红茶	（名）	hóngchá	black tea	11
红绿灯	（名）	hónglǜdēng	traffic lights; traffic signal	7
红色	（名）	hóngsè	red	14
红烧	（动）	hóngshāo	fried in brown sauce	12
红烧大虾	（专）	Hóngshāo Dàxiā	Fried Shrimp in Brown Sauce	11
喉咙	（名）	hóulóng	throat	18
后会有期		hòu huì yǒu qī	We'll meet again some day.	30
后门	（名）	hòumén	rear door; back door	8
后面	（名）	hòumian	behind; at the back of	4
后天	（名）	hòutiān	thd day after tomorrow	3
候车室	（名）	hòuchēshì	waiting room	9
候机室	（名）	hòujīshì	waiting room	26
呼	（动）	hū	to page(sb.)	17
呼吸	（动）	hūxī	to breathe	19
胡椒	（名）	hújiāo	white pepper	12
胡萝卜	（名）	húluóbo	carrot	11

互相	（副）	hùxiāng	each other	25
护士	（名）	hùshi	nurse	18
护照	（名）	hùzhào	passport	10
花儿	（名）	huār	flower	22
花椒	（名）	huājiāo	Sichuan pepper	12
花园	（名）	huāyuán	garden	6
花园酒店	（专）	Huāyuán Jiǔdiàn	the Garden Hotel	6
划	（动）	huá	to paddle; to row	25
华侨	（名）	huáqiáo	overseas Chinese	5
滑冰	（动）	huábīng	ice-skating; skating	29
滑水	（动）	huáshuǐ	water skiing	29
滑雪	（动）	huáxuě	skiing	29
化学	（名）	huàxué	chemistry	29
化验	（动）	huàyàn	laboratory test	18
化妆品	（名）	huàzhuāng pǐn	cosmetics	13
华山	（专）	Huà Shān	the Huashan Mountain（in Shaanxi）	28
画儿	（名）	huàr	painting	15
画家	（名）	huàjiā	painter	15
坏	（动）	huài	bad	2
欢迎	（动）	huānyíng	to welcome	3
环市路	（专）	Huánshì Lù	Huanshi Road	6
换	（动）	huàn	to change	8
黄瓜	（名）	huánggua	cucumber	11
黄河	（专）	Huáng Hé	the Huanghe River; the Yellow River	28
黄埔港	（专）	Huángpǔ Gǎng	Huangpu harbour	21
黄色	（名）	huángsè	yellow	14
黄山	（专）	Huáng Shān	the Huangshan Mountain（in Anhui）	28

灰色	（名）	huīsè	grey	14
回	（动）	huí	to retrn; to go back	3
汇率	（名）	huìlǜ	exchange rate	10
会	（动）	huì	be good at; be skilful in	29
婚礼	（名）	hūnlǐ	wedding ceremony	21
浑身	（名）	húnshēn	from head to foot; all over	18
活	（形）	huó	live; alive	11
火柴	（名）	huǒchái	match	13
火车	（名）	huǒchē	train	7
火车司机		huǒchē sījī	engine driver	9
火锅	（名）	huǒguō	hot pot	12
或者	（连）	huòzhě	or	2

J

机场	（名）	jīchǎng	airport	21
机会	（名）	jīhuì	chance; opportunity	22
机翼	（名）	jīyì	wing	26
肌肉	（名）	jīròu	muscle	18
鸡	（名）	jī	chicken	11
鸡蛋	（名）	jīdàn	egg	13
级	（量）	jí	degree	24
极	（副）	jí	extremely	5
急事		jí shì	urgent matter	21
集邮	（动）	jíyóu	to collect stamps	16
集邮册	（名）	jíyóucè	stamp album	16
集邮迷	（名）	jíyóumí	stamp collector	16
籍	（名）	jí	nationality	5
籍贯	（名）	jíguàn	place of birth	27
几	（数）	jǐ	which; how many	2

挤	（形）	jǐ	crowd	8
系	（动）	jì	to tie; to fasten; to button up	26
计程表	（名）	jìchéngbiǎo	taximeter	21
计算器	（名）	jìsuànqì	calculator	15
记	（动）	jì	to remember; to memorise	23
记者	（名）	jìzhě	reporter	15
纪念	（动）	jìniàn	to commemorate; commemoration; commemorative	16
纪念邮票		jìniàn yóupiào	commemorative stamp	16
寄	（动）	jì	to send; to mail	16
寄存	（动）	jìcún	to deposit; to leave with; to check	9
寄存处	（名）	jìcúnchù	left-luggage office	9
寄信人	（名）	jìxìnrén	sender	16
寂寞	（形）	jìmò	lonely; lonesome	25
鲫鱼	（名）	jìyú	perch	11
加	（动）	jiā	to add	11
加急电报		jiājí diànbào	urgent telegram	17
夹	（动）	jiā	to place in between; to press from both sides	16
夹克	（名）	jiākè	jacket	14
夹心饼	（名）	jiāxīnbǐng	sandwich biscuit	13
夹子	（名）	jiāzi	clip	13
家	（名）	jiā	home; family	4
家	（量）	jiā	(a measure word)	6
家家户户		jiājiā-hùhù	each and every family; every household	25
家具	（名）	jiājù	furniture	22
家庭	（名）	jiātíng	family	4

家乡	（名）	jiāxiāng	hometown	5
假山	（名）	jiǎshān	rockery	22
价格	（名）	jiàgé	price	14
坚持	（动）	jiānchí	persist in; uphold	29
间	（量）	jiān	(a measure word)	27
肩膀	（名）	jiānbǎng	shoulder	18
煎	（动）	jiān	fry in shallow oil	12
检查	（名）	jiǎnchá	check up; examination	19
剪纸	（名）	jiǎnzhǐ	paper cut	15
见面	（动）	jiànmiàn	to meet; to see	5
建	（动）	jiàn	to build	28
健力宝	（专）	Jiànlìbǎo	Jianlibao	11
健身	（动）	jiànshēn	body building	29
姜	（名）	jiāng	ginger	12
浆糊	（名）	jiànghu	paste	16
酱油	（名）	jiàngyóu	soy sauce	12
降落	（动）	jiàngluò	to land	26
交	（动）	jiāo	to play	15
交谈	（动）	jiāotán	to talk; to communicate	23
交通	（名）	jiāotōng	traffic; transport	6
交响乐	（名）	jiāoxiǎngyuè	symphony	29
郊外	（名）	jiāowài	the countryside around a city; outskirts	25
胶卷儿	（名）	jiāojuǎnr	film	29
饺子	（名）	jiǎozi	dumpling	12
脚	（名）	jiǎo	foot	18
叫	（动）	jiào	to be called	1
叫醒		jiàoxǐng	to wake up	9
教科书	（名）	jiàokēshū	textbook	15
教师	（名）	jiàoshī	teacher	4

教堂	（名）	jiàotáng	church	28
接	（动）	jiē	to meet	3
接	（动）	jiē	to connect to（an extension）	17
接触	（动）	jiēchù	to come into contact with	18
街	（名）	jiē	street; road	7
结实	（形）	jiēshi	strong; solid	4
节	（量）	jié	（a measure word）	2
节日	（名）	jiérì	festival	25
结冰	（动）	jiébīng	to freeze; to ice up	24
结果	（名）	jiéguǒ	result; report	19
结婚	（动）	jiéhūn	to get married	4
结识	（动）	jiéshí	to get to know sb.; to get acquainted with sb.	30
结束	（动）	jiéshù	to finish; to end	3
结帐	（动）	jiézhàng	to settle accounts	12
姐夫	（名）	jiěfu	elder sister's husband	5
姐姐	（名）	jiějie	elder sister	4
姐妹	（名）	jiěmèi	sisters	5
介绍	（动）	jièshào	to introduce	1
戒指	（名）	jièzhǐ	finger ring	15
斤	（量）	jīn	*jin*, half kilogram	13
今天	（名）	jīntiān	today	3
金	（名）	jīn	gold	15
金黄色	（名）	jīnhuángsè	golden	14
紧	（形）	jǐn	tight; taut; close	14
紧张	（形）	jǐnzhāng	demanding	2
进	（动）	jìn	to insert	19
进城	（动）	jìnchéng	to go to downtown	24
近道	（名）	jìndào	shortcut	21
禁止	（动）	jìnzhǐ	to prohibit; to ban; to forbid	26

京剧	（名）	jīngjù	Beijing opera	29
经常	（形）	jīngcháng	often	4
经过	（动）	jīngguò	to pass	7
经济	（名）	jīngjì	economics	29
经济舱	（名）	jīngjì cāng	economy class	26
经理	（名）	jīnglǐ	manager	1
景泰蓝	（名）	jǐngtàilán	*cloisonné*-ware	15
静脉	（名）	jìngmài	vein	19
镜子	（名）	jìngzi	mirror	13
九	（数）	jiǔ	nine	2
九月	（名）	jiǔyuè	September	3
韭菜	（名）	jiǔcài	leeks	11
救护车	（名）	jiùhùchē	ambulance	19
救生衣	（名）	jiùshēngyī	life jacket	26
旧	（形）	jiù	old; second-hand	15
舅舅	（名）	jiùjiu	mother's brother	5
舅妈	（名）	jiùmā	aunt(wife of mother's brother)	5
居留证	（名）	jūliúzhèng	residence card; residence permit	10
桔红色	（名）	júhóngsè	orange(color)	14
桔子汁	（名）	júzizhī	orange juice	11
菊花茶	（名）	júhuāchá	chrysanthemum tea	11
举行	（动）	jǔxíng	to hold(a meeting, a ceremony, etc.)	25
巨	（形）	jù	huge; tremendous; gigantic	28
句型	（名）	jùxíng	sentence pattern	23
剧场	（名）	jùchǎng	theatre	21
卷	（动）	juǎn	to roll	19
诀窍	（名）	juéqiào	secret of success; knack	23
觉得	（动）	juéde	to feel	18

K

咖啡	（名）	kāfēi	coffee	13
开	（动）	kāi	to drive	2
开	（动）	kāi	to set up; to run	5
开	（动）	kāi	to prescribe	20
开饭	（动）	kāifàn	serve a meal	27
开关	（名）	kāiguān	switch	27
开会	（动）	kāihuì	to hold or attend a meeting	17
开门儿	（动）	kāiménr	to open	16
开始	（动）	kāishǐ	to begin; to start	2
抗菌素	（名）	kàngjūnsù	antibiotics	20
考试	（名）	kǎoshì	exam	2
烤乳猪	（名）	kǎorǔzhū	roast suckling pig	11
靠	（动）	kào	by; near	9
咳	（动）	ké	to cough	19
咳嗽	（动）	késou	to cough	18
可	（副）	kě	really	24
可爱	（形）	kě'ài	lovely; pretty	4
可口可乐	（专）	Kěkǒu Kělè	Coca-Cola	11
可惜	（形）	kěxī	it's a pity; it's too bad	30
渴	（形）	kě	thirsty	11
客满	（动）	kèmǎn	(of theatre ticket, etc.) sold out; full house	27
客气	（形）	kèqi	to be polite	7
客人	（名）	kèren	guest	1
客厅	（名）	kètīng	living room	22
刻	（量）	kè	quarter	2
肯定	（副）	kěndìng	certainly; undoubtedly;	29

			definitely	
空调	（名）	kōngtiáo	airconditioner	9
空姐	（名）	kōngjiě	stewardess	26
空气	（名）	kōngqì	air	25
空中客车	（专）	Kōngzhōng Kèchē	Airbus	26
空中小姐	（名）	kōngzhōng xiǎojiě	stewardess	26
恐怕	（副）	kǒngpà	I'm afraid	15
空儿	（名）	kòngr	free time	2
空房	（名）	kòngfáng	a vacant room	27
口	（量）	kǒu	(a measure word)	4
口袋儿	（名）	kǒudàir	pocket	14
口服	（动）	kǒufú	to take orally	20
口腔科	（名）	kǒuqiāngkē	department of dentistry	18
口音	（名）	kǒuyin	accent	23
扣子	（名）	kòuzi	button	14
苦	（形）	kǔ	bitter	12
苦瓜	（名）	kǔguā	bitter gourd	11
裤子	（名）	kùzi	trousers; pants	14
块	（量）	kuài	dollar	8
快	（副）	kuài	almost	2
快	（形）	kuài	fast	8
快达寻呼台	（专）	Kuàidá Xúnhūtái	the Kuaida Paging Service	17
筷子	（名）	kuàizi	chopsticks	12
矿泉水	（名）	kuàngquánshuǐ	mineral mater	11
溃疡	（名）	kuìyáng	ulcer	19
困	（形）	kùn	sleepy	26

L

拉肚子		lā dùzi	diarrhoea	18

拉链	（名）	lāliàn	zip	14
拉萨	（专）	Lāsà	Lhasa	28
蜡染	（名）	làrǎn	batik	15
腊月	（名）	làyuè	the twelfth month of the lunar year	25
辣	（形）	là	hot; spicy	11
辣椒	（名）	làjiāo	hot pepper; chilli	11
来得及	（动）	lái de jí	there's still time; be able to do sth. in time; be able to make it	21
来回票	（名）	láihuí piào	roundtrip ticket	26
兰花	（名）	lánhuā	orchid	22
兰州	（专）	Lánzhōu	Lanzhou	26
阑尾	（名）	lánwěi	appendix	19
阑尾炎	（名）	lánwěiyán	appendicitis	19
蓝色	（名）	lánsè	blue	14
篮球	（名）	lánqiú	basketball	2
劳驾	（动）	láojià	excuse me	7
老		lǎo	(a prefix)	6
老	（副）	lǎo	always	18
老大	（名）	lǎodà	the eldest child	4
老二	（名）	lǎo'èr	the second child	4
老幺	（名）	lǎoyāo	the youngest child	4
雷	（名）	léi	thunder	24
肋骨	（名）	lèigǔ	rib	18
冷	（形）	lěng	cold	24
离	（介）	lí	from	4
离婚	（动）	líhūn	to diverce	5
离开	（动）	líkāi	to leave; to depart from	27
梨	（名）	lí	pear	13
理解	（动）	lǐjiě	to understand; to comprehend	23

李芳	（专）	Lǐ Fāng	(name of a person)	17
李明	（专）	Lǐ Míng	(name of a person)	1
里	（量）	lǐ	lǐ (half kilometre)	7
里面	（名）	lǐmiàn	inside	16
礼花	（名）	lǐhuā	fireworks display	25
礼物	（名）	lǐwù	gift; present	16
鲤鱼	（名）	lǐyú	carp	11
立即	（副）	lìjí	immediately; at once	19
历史	（名）	lìshǐ	history; past records	28
厉害	（形）	lìhai	bad; serious	18
荔枝	（名）	lìzhī	litchi	25
粒	（量）	lì	pill	20
莲茸	（名）	liánróng	lotus paste	25
联系	（名）	liánxì	contact; touch; connection	30
鲢鱼	（名）	liányú	silver carp	11
脸	（名）	liǎn	face	18
练	（动）	liàn	to practise; to exercise	29
练习	（动）	liànxí	to practise; to exercise	23
凉	（形）	liáng	cold	12
凉快	（形）	liángkuai	nice and cool; pleasantly cool	24
凉爽	（形）	liángshuǎng	nice and cool; pleasantly cool	24
凉鞋	（名）	liángxié	sandals	14
量	（动）	liáng	to measure; to take (temperature)	19
聊天儿	（动）	liáotiānr	to chat	2
料子	（名）	liàozi	material for making clothes	14
列车	（名）	lièchē	train	9
列车长	（名）	lièchēzhǎng	head of a train crew	9
列车时刻表		lièchē shíkèbiǎo	railway timetable; train schedule	9

列车员	（名）	lièchēyuán	attendant(of a train)	9
林	（专）	Lín	（a surname）	24
临时	（副）	línshí	at the time when sth. happens	30
淋浴	（名）	línyù	shower bath; shower	27
琳达	（专）	Líndá	Linda	29
零	（数）	líng	zero	2
零钞	（名）	língchāo	small change	10
零钱	（名）	língqián	small change	10
零下	（名）	língxià	minus	24
领带	（名）	lǐngdài	tie	14
领事馆	（名）	lǐngshìguǎn	consulate	21
另外	（副）	lìngwài	another	13
刘	（专）	Liú	（a surname）	6
刘芳	（专）	Liú Fāng	（name of a person）	22
留	（动）	liú	to leave	30
留步	（动）	liúbù	don't bother to see me out; don't bother to come any further	22
留学生	（名）	liúxuéshēng	foreign student	1
留言	（动）	liúyán	to leave a message	17
流感	（名）	liúgǎn	flu	19
流花公园	（专）	Liúhuā Gōngyuán	the Liuhua Park	17
流利	（形）	liúlì	fluent; smooth	23
流行音乐		liúxíng yīnyuè	pop music	29
流血		liú xiě	to bleed	18
六	（数）	liù	six	2
六月	（名）	liùyuè	June	3
龙灯	（名）	lóngdēng	dragon lantern	25
龙井	（名）	lóngjǐng	Longjing tea	11
龙门石窟	（专）	Lóngmén Shíkū	the Longmen Grottoes （in	28

Luoyang）

龙虾	（名）	lóngxiā	lobster	11
龙眼	（名）	lóngyǎn	longan	25
龙舟	（名）	lóngzhōu	dragon boat	25
楼	（名）	lóu	building；floor	6
楼梯	（名）	lóutī	stairs	6
卢布	（名）	lúbù	Russian rouble	10
鲈鱼	（名）	lúyú	sea perch	11
录音机	（名）	lùyīnjī	type recorder	22
路	（量）	lù	route	8
旅馆	（名）	lǚguǎn	hotel	27
旅行	（动）	lǚxíng	to travel	29
旅游	（名）	lǚyóu	travel	15
旅游指南		lǚyóu zhǐnán	guidebook	15
绿茶	（名）	lǜchá	green tea	11
绿色	（名）	lǜsè	green	14
轮船	（名）	lúnchuán	ship	8
罗伯特	（专）	Luóbótè	Robert	24
罗马	（专）	Luómǎ	Rome	4
萝卜	（名）	luóbo	radish	11
螺	（名）	luó	snail	11
洛阳	（专）	Luòyáng	Luoyang	22

M

妈妈	（名）	māma	mother	4
麻烦	（动）	máfan	to trouble	17
麻婆豆腐	（专）	Mápó Dòufu	*Mapo doufu*, hot and spicy bean curd	11
麻醉	（名）	mázuì	anaesthesia；narcosis	19

马	（专）	Mǎ	(a surname)	29
马虎	（形）	mǎhu	careless; casual	6
马克	（名）	mǎkè	mark	10
马路	（名）	mǎlù	road; street	7
马马虎虎		mǎmǎ-hūhū	not very bad; so-so; careless	6
马上	（副）	mǎshàng	at once; immediately; straight away	11
码头	（名）	mǎtou	wharf; dock; port	8
吗	（助）	ma	(an interrogative particle)	1
卖	（动）	mài	to sell	9
脉	（名）	mài	pulse	19
馒头	（名）	mántou	*mantou*, steamed bread	12
满意	（形）	mǎnyì	satisfied; pleased	12
曼谷	（专）	Màngǔ	Bangkok	4
慢	（形）	màn	slow	4
慢车	（名）	mànchē	slow train; local train	9
鳗鱼	（名）	mànyú	eel	11
忙	（形）	máng	busy	1
盲肠	（名）	mángcháng	caecum	19
毛	（名）	máo	wool	14
毛笔	（名）	máobǐ	writing brush	15
毛病	（名）	máobìng	trouble; mishap; fault	13
毛巾	（名）	máojīn	towel	13
毛衣	（名）	máoyī	sweater	14
帽子	（名）	màozi	hat; cap	14
没关系		méi guānxi	it doesn't matter	2
玫瑰	（名）	méigui	rose	6
梅州	（专）	Méizhōu	Meizhou	5
每天		měi tiān	everyday	2
美国人	（名）	Měiguórén	American	1

美丽	（形）	měilì	beautiful	25
美术	（名）	měishù	the fine arts; art; painting	29
美元	（名）	měiyuán	U.S. dollar	10
妹夫	（名）	mèifu	younger sister's husband	5
妹妹	（名）	mèimei	younger sister	4
门	（名）	mén	door	7
门票	（名）	ménpiào	entrance ticket	28
迷	（名）	mí	fan; fiend	16
迷	（动）	mí	be fascinated by; be crazy about	29
迷路	（动）	mílù	to lose one's way	7
谜	（名）	mí	riddle	25
米	（量）	mǐ	metre	7
米饭	（名）	mǐfàn	rice, steamed	12
米粉	（名）	mǐfěn	rice noodle	12
棉	（名）	mián	cotton	14
免税	（动）	miǎnshuì	tax-free; duty-free	26
免税商店	（名）	miǎnshuì shāngdiàn	duty-free shop	26
面包	（名）	miànbāo	bread	12
面条儿	（名）	miàntiáor	noodle	12
庙	（名）	miào	Buddhist temple	28
民歌	（名）	míngē	folk songs	29
名菜	（名）	míngcài	famous dish	12
名胜古迹		míngshèng gǔjì	scenic spots and historical sites	28
名字	（名）	míngzi	name	1
明白	（形）	míngbai	clear; to understand	5
明朝	（专）	Míng Cháo	Ming Dynasty	28
明年	（名）	míngnián	next year	4
明天	（名）	míngtiān	tomorrow	3

明信片	（名）	míngxìnpiàn	postcard	16
摸	（动）	mō	to touch	19
摩托车	（名）	mótuōchē	motorcycle	8
蘑菇	（名）	mógu	mushroom	11
茉莉	（名）	mòli	jasmine	22
茉莉花茶	（名）	mòlihuāchá	jasmine tea	11
莫斯科	（专）	Mòsīkē	Moscow	16
墨	（名）	mò	Chinese ink; ink stick	15
墨水	（名）	mòshuǐ	ink	15
牡丹	（名）	mǔdan	peony	22
木刻	（名）	mùkè	woodcut	15

N

拿	（动）	ná	to take; to get	9
哪儿	（代）	nǎr	where	1
哪里	（代）	nǎli	it was nothing; thank you	23
那儿	（代）	nàr	there	4
奶粉	（名）	nǎifěn	milk powder	13
奶奶	（名）	nǎinai	father's mother	4
南	（名）	nán	south	6
南方	（名）	nánfāng	the south	4
南方人	（名）	nánfāngrén	southerner	25
南瓜	（名）	nánguā	pumpkin	11
南京	（专）	Nánjīng	Nanjing	22
男孩儿	（名）	nánháir	boy	14
男朋友		nán péngyou	boyfriend	5
难	（形）	nán	difficult	23
难怪	（副）	nánguài	no wonder	23
闹钟	（名）	nàozhōng	alarm clock	2

内科	（名）	nèikē	interanl department	18
内科医生		nèikē yīshēng	physician	18
内衣	（名）	nèiyī	underwear	14
能	（助动）	néng	can	4
能够	（助动）	nénggòu	can	30
你	（代）	nǐ	you	1
年	（名）	nián	year	3
年糕	（名）	niángāo	New Year cake（made of glutinous rice flour）	25
年纪	（名）	niánjì	age	4
年轻	（形）	niánqīng	young	4
尿样	（名）	niàoyàng	sample of urine	19
您	（代）	nín	you（polite）	1
柠檬汁	（名）	níngméngzhī	lemon juice	11
牛奶	（名）	niúnǎi	milk	11
牛肉	（名）	niúròu	beef	11
牛仔裤	（名）	niúzǎikù	jeans	14
扭伤		niǔshāng	sprained	18
纽约	（专）	Niǔyuē	New York	16
浓厚	（形）	nónghòu	strong; pronounced	29
农历	（名）	nónglì	the traditional Chinese calendar; the lunar calendar	25
弄	（动）	nòng	to make; to handle	5
弄丢		nòngdiū	lost	16
女儿	（名）	nǚ'ér	daughter	4
女孩儿	（名）	nǚháir	girl	4
暖和	（形）	nuǎnhuo	warm	24
暖壶	（名）	nuǎnhú	thermos flask; thermos bottle	27
暖气	（名）	nuǎnqì	heating	27

O

| 藕 | （名） | ǒu | lotus root | 11 |

P

拍	（动）	pāi	to send（a telegram，etc.）	17
排	（量）	pái	row；line	22
排球	（名）	páiqiú	volleyball	29
牌子	（名）	páizi	brand；trademark	13
盘	（名）	pán	plate；dish	12
旁边	（名）	pángbiān	side	6
螃蟹	（名）	pángxiè	crab	11
跑道	（名）	pǎodào	runway	26
陪	（动）	péi	accompany	6
朋友	（名）	péngyou	friend	1
啤酒	（名）	píjiǔ	beer	11
疲劳	（形）	píláo	tired	19
皮肤	（名）	pífū	skin	18
皮鞋	（名）	píxié	leather shoes	14
便宜	（形）	piányi	cheap	14
片子	（名）	piānzi	film；photo	19
片	（量）	piàn	tablet	20
片刻	（名）	piànkè	a short while；a moment	11
骗	（动）	piàn	to cheat	21
漂亮	（形）	piàoliang	pretty；beautiful	4
漂漂亮亮		piàopiào-liangliang	beautiful；pretty	25
票	（名）	piào	ticket	8
票价	（名）	piàojià	ticket price；fare	9

拼盘儿	（名）	pīnpánr	cold dishes	11
乒乓球	（名）	pīngpāngqiú	table tennis	3
平安	（形）	píng'ān	safe and sound; without mishap; well	30
平底儿鞋	（名）	píngdǐrxié	flat shoes	14
平时	（名）	píngshí	at ordinary times; in normal times	29
平稳	（形）	píngwěn	smooth	26
平信	（名）	píngxìn	surface mail	16
瓶	（量）	píng	(a measure word)	11
婆婆	（名）	pópo	husband's mother	5
葡萄牙语	（专）	Pútáoyáyǔ	Portuguese	23
普通电报	（名）	pǔtōng diànbào	ordinary telegram	17

Q

七	（数）	qī	seven	2
七月	（名）	qīyuè	July	3
妻子	（名）	qīzi	wife	4
期	（量）	qī	(a measure word)	15
漆器	（名）	qīqì	lacquer-ware	15
其他	（代）	qítā	other	14
骑	（动）	qí	to ride	8
起床	（动）	qǐchuáng	to get up	2
起飞	（动）	qǐfēi	to take off	26
气氛	（名）	qìfēn	atmosphere	25
气功	（名）	qìgōng	*qigong*, a system of deep breathing exercises	29
气候	（名）	qìhòu	climate	24
气温	（名）	qìwēn	air temperature; atmospheric	24

汽车	（名）	qìchē	car; bus	7
汽水儿	（名）	qìshuǐr	soda water	11
卡	（动）	qiǎ	to block	27
卡住		qiǎzhù	jammed	27
千	（数）	qiān	thousand	10
千万	（副）	qiānwàn	surely; must	12
铅笔	（名）	qiānbǐ	pencil	15
签名	（名）	qiānmíng	signature	27
签证	（名）	qiānzhèng	visa	30
钱	（名）	qián	money	8
钱包	（名）	qiánbāo	wallet	13
前门	（名）	qiánmén	front door	8
前面	（名）	qiánmian	in front; ahead	8
前天	（名）	qiántiān	the day before yesterday	3
浅	（形）	qiǎn	light(color)	14
墙	（名）	qiáng	wall	22
桥	（名）	qiáo	bridge	28
巧克力	（名）	qiǎokèlì	chocolate	13
茄子	（名）	qiézi	eggplant	11
亲戚	（名）	qīnqi	relatives	5
亲人	（名）	qīnrén	one's family members	25
亲属	（名）	qīnshǔ	relatives	5
亲眼	（副）	qīnyǎn	with one's own eyes; personally	30
亲自	（副）	qīnzì	personally; by oneself	22
芹菜	（名）	qíncài	celery	11
秦朝	（专）	Qín Cháo	Qin Dynasty	28
青菜	（名）	qīngcài	green vegetable	11
青岛啤酒	（专）	Qīngdǎo píjiǔ	Qingdao beer	11
青霉素	（名）	qīngméisù	penicillin	20

青年	（名）	qīngnián	youth	15
青山绿水		qīngshān lǜshuǐ	green hills and clean water	28
轻	（形）	qīng	light(weight)	17
清	（形）	qīng	clear; clearly;	17
清楚	（形）	qīngchu	clear	5
清淡	（形）	qīngdàn	light(taste)	11
清明	（专）	Qīngmíng	Pure Brightness(the 5th solar term)	25
清明节	（专）	Qīngmíng Jié	Pure Brightness Festival	25
清蒸	（动）	qīngzhēng	steamed in clear soup	12
情况	（名）	qíngkuàng	condition; situation; state of affairs	15
情绪	（名）	qíngxù	morale; mood	18
晴	（形）	qíng	fine; clear	24
晴天	（名）	qíngtiān	fine day; sunny day	24
请进		qǐng jìn	come in	22
请客	（动）	qǐngkè	stand treat; entertain guests	12
请问	（动）	qǐngwèn	may I ask	1
秋季	（名）	qiūjì	autumn	25
秋天	（名）	qiūtiān	autumn	3
球鞋	（名）	qiúxié	sneakers	14
屈原	（专）	Qū Yuán	Qu Yuan(name of a poet)	25
取	（动）	qǔ	to take	9
娶	（动）	qǔ	to marry (a woman)	5
去年	（名）	qùnián	last year	4
去世	（动）	qùshì	to die; to pass away	5
全面	（形）	quánmiàn	all round; general	19
裙子	（名）	qúnzi	skirt	14

R

然后	（连）	ránhòu	then	7
让	（介）	ràng	to let	1
让	（动）	ràng	to give way	9
让	（介）	ràng	by	16
热	（形）	rè	hot	12
热情	（形）	rèqíng	warm; enthusiastic	22
热热闹闹		rèrè-naonao	lively; bustling with noise and excitement	25
热水	（名）	rèshuǐ	hot water	27
人们	（名）	rénmen	people; men; the public	25
人民	（名）	rénmín	people	6
人民币	（名）	rénmínbì	renminbi	10
人造丝	（名）	rénzàosī	rayon	14
认识	（动）	rènshi	to know; to meet	1
日	（量）	rì	date	3
日报	（名）	rìbào	daily	15
日历	（名）	rìlì	calendar	3
日元	（名）	rìyuán	Japanese yen	10
日子	（名）	rìzi	day; date; time	30
容易	（形）	róngyi	easy	10
肉	（名）	ròu	meat	11
如果	（连）	rúguǒ	if	23
如何	（代）	rúhé	how; what	26
乳房	（名）	rǔfáng	breasts	18
入口	（名）	rùkǒu	entrance	7
软卧	（名）	ruǎnwò	soft sleeper	9
软座	（名）	ruǎnzuò	soft seat	9
瑞士	（专）	Ruìshì	Switzerland	10

S

三	（数）	sān	three	2
三轮车	（名）	sānlúnchē	pedicab	8
三鲜汤	（专）	Sānxiān Tāng	Three Delicacies Soup	11
三亚	（专）	Sānyà	Sanya	26
三月	（名）	sānyuè	March	3
散步	（动）	sànbù	to take a walk	2
散会	（动）	sànhuì	(of a meeting)be over; break up	17
嗓子	（名）	sǎngzi	throat; voice	18
扫墓	（动）	sǎomù	sweep a grave(pay respects to a dead person at his or her tomb)	25
嫂子	（名）	sǎozi	elder brother's wife	4
森林	（名）	sēnlín	forest	28
沙发	（名）	shāfā	sofa	22
沙漠	（名）	shāmò	desert	28
山	（名）	shān	hill; mountain	8
闪电	（名）	shǎndiàn	lightning	24
汕头	（专）	Shàntóu	Shantou	5
扇贝	（名）	shànbèi	scallops	11
扇子	（名）	shànzi	fan	15
鳝鱼	（名）	shànyú	yellow eel	11
伤	（动）	shāng	to hurt	18
伤风	（名）	shāngfēng	catch cold	19
伤口	（名）	shāngkǒu	wound; cut	18
商店	（名）	shāngdiàn	store; shop	4
赏	（动）	shǎng	to enjoy; to admire	25
上	（动）	shàng	to get on	8
上	（动）	shàng	to serve	11

上班	（动）	shàngbān	to go to work; to work	2
上海	（专）	Shànghǎi	Shanghai	9
上课	（动）	shàngkè	to have class	2
上面	（名）	shàngmian	above; on top of; on the surface of	16
上铺	（名）	shàngpù	upper berth	9
上升	（动）	shàngshēng	to rise; to go up	10
上午	（名）	shàngwǔ	morning	2
上衣	（名）	shàngyī	upper outer garment; jacket	19
稍	（副）	shāo	a little; a bit; slightly	11
稍后	（名）	shāohòu	later; a little bit later	17
稍候	（动）	shāohòu	just a minute; just a moment	17
烧坏		shāohuài	burned out	27
烧伤		shāoshāng	burned	18
勺子	（名）	sháozi	spoon	12
少见	（形）	shǎojiàn	rare; unusual	19
少数民族	（名）	shǎoshù mínzú	minority nationality; national minority	28
舌头	（名）	shétou	tongue	18
舍不得	（动）	shě bu de	to hate to part with or use; grudge	30
摄氏度	（名）	shèshìdù	centigrade	24
摄影	（动）	shèyǐng	to take a photogragh; photography	29
设计	（动）	shèjì	to design	22
伸	（动）	shēn	to stretch; to put out	18
身份证	（名）	shēnfenzhèng	identity card; identification card	10
身体	（名）	shēntǐ	body; health	1
深	（形）	shēn	dark(color)	14
深	（形）	shēn	deep; deeply	19

深刻	（形）	shēnkè	deep; profound; deepgoing	30
深圳	（专）	Shēnzhèn	Shenzhen	3
什么	（代）	shénme	what	1
神经	（名）	shénjīng	nerve	18
婶儿	（名）	shěnr	aunt(wife of father's younger brother)	5
肾	（名）	shèn	kidney	18
肾炎	（名）	shènyán	nephritis	19
生	（动）	shēng	to give birth to	5
生产	（动）	shēngchǎn	to make; to manufacture; to produce	13
生日	（名）	shēngri	birthday	3
生物	（名）	shēngwù	biology	29
生意	（名）	shēngyi	business; trade	5
剩	（动）	shèng	be left; to remain	16
圣诞卡	（名）	shèngdànkǎ	Christmas card	16
狮子	（名）	shīzi	lion	25
诗人	（名）	shīrén	poet	25
十	（数）	shí	ten	2
十二月	（名）	shí'èryuè	December	3
十分	（副）	shífēn	very; extremely	5
十一月	（名）	shíyīyuè	November	3
十月	（名）	shíyuè	October	3
十字路口	（名）	shízì lùkǒu	intersection	7
石斑鱼	（名）	shíbānyú	grouper	11
石林	（专）	Shílín	the Stone Forest	28
石头	（名）	shítou	stone; rock	22
时候	（名）	shíhou	time	2
时间	（名）	shíjiān	time	2
食物	（名）	shíwù	food	18

史密斯	（专）	Shǐmìsī	Smith	6
使用	（动）	shǐyòng	to use	26
市	（名）	shì	city	5
市场	（名）	shìchǎng	market	7
似的	（助）	shìde	it seems; similar	30
事	（名）	shì	thing; business	3
试	（动）	shì	to try	14
试衣室	（名）	shìyīshì	changing room	14
是	（动）	shì	to be	1
适应	（动）	shìyìng	to adapt; be used to; to adjust	24
逝世	（动）	shìshì	to pass away; to die	15
收	（动）	shōu	to accept; to receive	10
收款台	（名）	shōukuǎntái	cashier's desk	15
收拾	（动）	shōushi	to put in order; to clean away	27
收信人	（名）	shōuxìnrén	the recipient of a letter; addressee	16
收音机	（名）	shōuyīnjī	radio	22
手	（名）	shǒu	hand	19
手表	（名）	shǒubiǎo	watch	13
手动	（形）	shǒudòng	manual	28
手机	（名）	shǒujī	mobile phone	17
手术	（动）	shǒushù	to operate; operation	19
手套	（名）	shǒutào	gloves	14
手腕	（名）	shǒuwàn	wrist	18
手指	（名）	shǒuzhǐ	finger	18
守岁	（动）	shǒusuì	stay up late or all night on New Year's Eve	25
受不了	（动）	shòu bù liǎo	can not bear	24
售票处	（名）	shòupiàochù	ticket office	26
瘦	（形）	shòu	narrow	14

书店	（名）	shūdiàn	book shop	15
书法	（名）	shūfǎ	calligraphy	29
书房	（名）	shūfáng	study	22
书架	（名）	shūjià	bookshelf	22
书桌	（名）	shūzhuō	desk; writing desk	22
叔叔	（名）	shūshu	father's younger brother	5
梳子	（名）	shūzi	hairbrush	13
舒服	（形）	shūfu	comfortable	18
输血	（动）	shūxiě	blood transfusion	19
蔬菜	（名）	shūcài	vegetable	11
熟	（形）	shú/shóu	ripe; cooked; done	12
数学	（名）	shùxué	mathematics	29
数字	（名）	shùzì	numeral; figure; digit	10
摔	（动）	shuāi	to fall	18
双	（量）	shuāng	pair	14
双号		shuāng hào	even numbers	6
双人房	（名）	shuāngrénfáng	double room	27
霜	（名）	shuāng	frost	24
谁	（代）	shuí/shéi	who; whom	4
水	（名）	shuǐ	water	11
水晶	（名）	shuǐjīng	crystal	15
水龙头	（名）	shuǐlóngtóu	（water）tap	27
水平	（名）	shuǐpíng	standard; level	22
水灾	（名）	shuǐzāi	flood	24
睡觉	（动）	shuìjiào	to sleep	2
司机	（名）	sījī	driver	21
丝绸之路	（专）	Sīchóu Zhī Lù	the Silk Road	16
四	（数）	sì	four	2
四月	（名）	sìyuè	April	3
松下	（专）	Sōngxià	National; Panasonic	13

嵩山	（专）	Sōng Shān	Songshan Mountain(in Henan)	28
送	（动）	sòng	to take; to carry	21
送	（动）	sòng	to see sb. off or out	30
送别	（动）	sòngbié	to see sb. off; to wish sb. bon voyage	30
苏打饼	（名）	sūdábǐng	cracker	13
苏州	（专）	Sūzhōu	Suzhou	9
酸	（形）	suān	sour	12
酸奶	（名）	suānnǎi	yoghurt	11
蒜	（名）	suàn	garlic	12
算	（动）	suàn	to reckon; to calculate	21
算了		suànle	let it be; let it pass	12
算盘	（名）	suànpán	abacus	15
随便	（形）	suíbiàn	casual; informal	13
岁	（量）	suì	year(of age)	4
孙女	（名）	sūnnǚ	granddaughter(son's daughter)	5
孙子	（名）	sūnzi	grandson(son's son)	5

T

塔	（名）	tǎ	pagoda; tower	28
踏青	（名）	tàqīng	go for a walk in the country in spring(when the grass has just turned green)	25
台灯	（名）	táidēng	desk lamp; table lamp	22
台山	（专）	Táishān	Taishan	5
太	（副）	tài	too	9
泰国	（专）	Tàiguó	Thailand	4

泰山	（专）	Tài Shān	Mount Taishan(in Shandong)	28
毯子	（名）	tǎnzi	blanket	27
汤	（名）	tāng	soup	11
汤姆	（专）	Tāngmǔ	Tom	27
汤圆	（名）	tāngyuán	stuffed dumplings made of glutinous rice served in soup	25
堂哥	（名）	tánggē	cousin(son of father's brother, elder than oneself)	5
糖	（名）	táng	sugar	12
糖醋鱼	（名）	tángcùyú	sweet and sour fish	11
糖果	（名）	tángguǒ	candy	13
躺	（动）	tǎng	to lie(down)	19
趟	（量）	tàng	(a measure word)	9
烫伤		tàngshāng	scalded	18
桃子	（名）	táozi	peach	25
讨厌	（动）	tǎoyàn	hate; dislike; disgusting	24
套	（量）	tào	set	14
套间	（名）	tàojiān	a suite	27
特别	（副）	tèbié	specially; extremely	23
特快	（名）	tèkuài	express train	9
特快专递		tèkuài zhuāndì	mail by express delivery	16
疼	（形）	téng	ache; pain; sore	18
踢	（动）	tī	to kick; to play	29
提	（动）	tí	to mention; to refer to ; to bring up	27
提前	（动）	tíqián	to shift to an earlier date; to move up(a date)	28
体操	（名）	tǐcāo	gymnastics	29
体温	（名）	tǐwēn	(body) temperature	19
体温表	（名）	tǐwēnbiǎo	thermometer	20

体育	（名）	tǐyù	physical training; sports	8
替	（介）	tì	for	1
剃须刀	（名）	tìxūdāo	shaver	13
天安门	（专）	Tiān'ānmén	Tian'anmen	8
天安门广场	（专）	Tiān'ānmén Guǎngchǎng	Tian'anmen Square	8
天鹅	（名）	tiān'é	swan	6
天河城	（专）	Tiānhé Chéng	Teem Plaza	8
天河体育中心	（专）	Tiānhé Tǐyù Zhōngxīn	Tianhe Sports Center	8
天津	（专）	Tiānjīn	Tianjin	28
天气	（名）	tiānqì	weather	24
天桥	（名）	tiānqiáo	overline bridge	7
天坛	（专）	Tiāntán	the Temple of Heaven (in Beijing)	28
天堂	（名）	tiāntáng	paradise	28
田村	（专）	Tiáncūn	Tamura	29
甜	（形）	tián	sweet	12
填	（动）	tián	to fill in	10
条	（量）	tiáo	(a measure word)	7
贴	（动）	tiē	to stick	16
听	（动）	tīng	to listen to; to hear	15
听说	（动）	tīngshuō	to be told; to hear of	28
停	（动）	tíng	to stop	9
亭子	（名）	tíngzi	pavilion	28
同	（动）	tóng	same	5
同学	（名）	tóngxué	classmate	6
痛	（形）	tòng	pain; ache	18
头	（名）	tóu	head	18
头	（数）	tóu	first	26

头	（量）	tóu	(a measure word)	28
头等舱	（名）	tóuděng cāng	first-class cabin	26
头顶	（名）	tóudǐng	the top of head	26
头疼	（动）	tóuténg	headache	18
头晕	（动）	tóuyūn	dizzy	18
投	（动）	tóu	to put in; to drop	8
土豆	（名）	tǔdòu	potato	11
吐	（动）	tù	to vomit	18
兔子	（名）	tùzi	rabbit	25
团聚	（动）	tuánjù	to reunite; reunion	25
团圆	（形）	tuányuán	reunion	25
团圆饭	（名）	tuányuánfàn	family reunion dinner	25
腿	（名）	tuǐ	leg	18
退房		tuì fáng	check out	27
退休	（动）	tuìxiū	to retire	4
褪色	（动）	tuìshǎi	color-fast	14
吞服	（动）	tūnfú	to swallow	20
托运	（动）	tuōyùn	to check; to consign for shipment	9
拖鞋	（名）	tuōxié	slippers	14
脱	（动）	tuō	to take off; to undress	19
脱臼	（动）	tuōjiù	dislocated	18

W

袜子	（名）	wàzi	socks	14
外币	（名）	wàibì	foreign currency	10
外公	（名）	wàigōng	grandfather(mother's father)	5
外科	（名）	wàikē	surgical department	18
外科医生		wàikē yīshēng	surgeon	18

外婆	（名）	wàipó	grandmother(mother's mother)	5
外甥	（名）	wàisheng	nephew(sister's son)	5
外甥女	（名）	wàishengnǚ	niece(sister's daughter)	5
外孙	（名）	wàisūn	grandson(daughter's son)	5
外孙女	（名）	wàisūnnǚ	granddaughter(daughter's daughter)	5
外文	（名）	wàiwén	foreign language	15
外文书店	（专）	Wàiwén Shūdiàn	Foreign Language Bookshop	15
外语	（名）	wàiyǔ	foreign language	23
丸	（量）	wán	pill	20
完	（动）	wán	finish; use up	9
玩儿	（动）	wánr	to play; to visit; to have fun	4
玩艺儿	（名）	wányìr	thing; gadget	22
晚	（形）	wǎn	to be late	2
晚点	（动）	wǎndiǎn	to delay	9
晚会	（名）	wǎnhuì	evening party	21
晚上	（名）	wǎnshang	night; evening	2
碗	（量）	wǎn	bowl	12
万	（数）	wàn	ten thousand	28
网球	（名）	wǎngqiú	tennis	29
忘	（动）	wàng	to forget	3
危险	（形）	wēixiǎn	danger; dangerous	28
危险品	（名）	wēixiǎnpǐn	dangerous goods	16
为止		wéizhǐ	up to; till	27
围巾	（名）	wéijīn	scarf	14
围棋	（名）	wéiqí	*weiqi*, a game played with black and white pieces on a board of 361 crosses	29
维生素	（名）	wéishēngsù	vitamin	20

卫生间	（名）	wèishēngjiān	bathroom	22
卫生纸	（名）	wèishēngzhǐ	toilet paper	13
未来	（名）	wèilái	future; tomorrow	29
位子	（名）	wèizi	seat	9
味道	（名）	wèidao	taste; flavour	12
胃	（名）	wèi	stomach	18
胃口	（名）	wèikǒu	appetite	18
胃炎	（名）	wèiyán	gastritis	19
喂	（叹）	wèi	hello	17
温水	（名）	wēnshuǐ	warm water; boiled warm water	20
文学	（名）	wénxué	literature	29
蚊帐	（名）	wénzhàng	mosquito net	27
问候	（动）	wènhòu	to send one's regards to	1
问题	（名）	wèntí	trouble; mishap; problem; something wrong	21
问讯处	（名）	wènxùnchù	information office	9
我	（代）	wǒ	I; me	1
我们	（代）	wǒmen	we; us	2
卧床	（动）	wòchuáng	to lie in bed	19
卧铺	（名）	wòpù	sleeper	9
卧室	（名）	wòshì	bedroom	22
乌龙茶	（名）	wūlóngchá	oolong tea	11
乌鲁木齐	（专）	Wūlǔmùqí	Ürümqi	26
屋子	（名）	wūzi	room; house	25
武术	（名）	wǔshù	*wushu*, martial arts such as shadowboxing, swordplay, etc.	29
五	（数）	wǔ	five	2
五月	（名）	wǔyuè	May	3

舞	（动）	wǔ	to dance	25
舞蹈	（名）	wǔdǎo	dance	29
勿	（副）	wù	no; don't	27
物理	（名）	wùlǐ	physics	29
雾	（名）	wù	fog	24

X

X光	（名）	X-guāng	X-ray	19
西	（名）	xī	west	6
西安	（专）	Xī'ān	Xi'an	9
西班牙语	（专）	Xībānyáyǔ	Spanish	23
西服	（名）	xīfú	suit	14
西瓜	（名）	xīguā	watermelon	25
西红柿	（名）	xīhóngshì	tomato	11
西湖	（名）	Xī Hú	the Xihu Lake(in Hangzhou)	28
西药	（名）	xīyào	Western medicine	20
西医	（名）	xīyī	Western medicine	18
西藏	（专）	Xīzàng	Tibet	16
吸	（动）	xī	to smoke	26
希望	（动）	xīwàng	to hope; to wish; to expect	30
膝盖	（名）	xīgài	knee	18
习惯	（动）	xíguàn	be used to	24
习惯	（名）	xíguàn	habit; custom	25
洗	（动）	xǐ	to wash	27
洗发精	（名）	xǐfàjīng	shampoo	13
洗衣粉	（名）	xǐyīfěn	washing powder	13
洗澡	（动）	xǐzǎo	to take a bath; to bathe	27
喜欢	（动）	xǐhuan	to like	3
虾	（名）	xiā	shrimp	11

下	（名）	xià	next	3
下	（动）	xià	to get off	8
下	（动）	xià	(of rain,snow, etc.)fall	24
下	（动）	xià	to play(chess)	29
下儿	（量）	xiàr	(a verbal measure word)	1
下铺	（名）	xiàpù	lower berth	9
下午	（名）	xiàwǔ	afternoon	2
厦门	（专）	Xiàmén	Xiamen(Amoy)	5
夏天	（名）	xiàtiān	summer	3
先生	（名）	xiānsheng	Mr.; gentleman	1
仙人掌	（名）	xiānrénzhǎng	cactus	22
鲜花	（名）	xiānhuā	cut flower	22
咸	（形）	xián	salty	12
现金	（名）	xiànjīn	cash	10
现在	（名）	xiànzài	now	2
相当	（副）	xiāngdāng	quite; fairly; considerably	12
相信	（动）	xiāngxìn	to believe; to trust	30
香	（形）	xiāng	good smell	12
香肠	（名）	xiāngcháng	sausage	13
香港	（专）	Xiānggǎng	Hong Kong	4
香蕉	（名）	xiāngjiāo	banana	25
香油	（名）	xiāngyóu	sesame oil	12
香皂	（名）	xiāngzào	toilet soap	13
想	（动）	xiǎng	to miss	4
享受	（名）	xiǎngshòu	enjoyment; treat	29
向	（介）	xiàng	to; towards	7
项链	（名）	xiàngliàn	necklace	15
相	（名）	xiàng	photograph; photo	28
相机	（名）	xiàngjī	camera	28
象棋	（名）	xiàngqí	(Chinese)chess	29

象征	（名）	xiàngzhēng	symbol; emblem	25
像	（动）	xiàng	such as; like	25
橡皮擦	（名）	xiàngpícā	eraser	15
消毒	（动）	xiāodú	to disinfect; to sterilize	19
消化	（名）	xiāohuà	digestion	19
消化不良		xiāohuà bùliáng	indigestion	19
小		xiǎo	(a prefix)	6
小	（形）	xiǎo	small	12
小巴	（名）	xiǎobā	minibus	8
小费	（名）	xiǎofèi	tip	27
小孩儿	（名）	xiǎoháir	child; kid	4
小姐	（名）	xiǎojiě	miss; young lady	1
小卖部	（名）	xiǎomàibù	shopping counter	27
小时	（量）	xiǎoshí	hour	2
小说	（名）	xiǎoshuō	novel	15
小提琴	（名）	xiǎotíqín	violin	29
小雨	（名）	xiǎoyǔ	light rain	24
些	（量）	xiē	(a measure word)	10
鞋带儿	（名）	xiédàir	shoelaces	14
鞋跟儿	（名）	xiégēnr	heel	14
写	（动）	xiě	to write	16
血	（名）	xiě	blood	19
谢天谢地		xiè tiān xiè dì	Thank goodness.	26
谢谢	（动）	xièxie	to thank	7
谢意	（名）	xièyì	gratitude; thankfulness	30
心脏	（名）	xīnzàng	heart	18
欣赏	（动）	xīnshǎng	to enjoy; to admire; to appreciate	25
新	（形）	xīn	new	6
新华书店	（专）	Xīnhuá Shūdiàn	Xinhua Bookshop	15

新加坡	（专）	Xīnjiāpō	Singapore	4
新鲜	（形）	xīnxiɑn	fresh	12
信	（名）	xìn	letter	16
信封	（名）	xìnfēng	envelope	16
信用卡	（名）	xìnyòngkǎ	credit card	27
信纸	（名）	xìnzhǐ	letter paper	16
兴隆	（形）	xīnglóng	prosperous; brisk	5
星期	（名）	xīngqī	week	3
星期二	（名）	xīngqī'èr	Tuesday	3
星期六	（名）	xīngqīliù	Saturday	3
星期日(天)	（名）	xīngqīrì(tiān)	Sunday	3
星期三	（名）	xīngqīsān	Wednesday	3
星期四	（名）	xīngqīsì	Thursday	3
星期五	（名）	xīngqīwǔ	Friday	3
星期一	（名）	xīngqīyī	Monday	3
行	（形）	xíng	O.K.; no problem	3
行李	（名）	xíngli	luggage; baggage	9
行李箱	（名）	xínglixiāng	trunk	21
兴趣	（名）	xìngqù	interest	29
幸福	（形）	xìngfú	happy	4
幸亏	（副）	xìngkuī	fortunately; luckily	25
性病	（名）	xìngbìng	venereal disease	19
姓	（动）	xìng	to be surnamed	1
兄弟	（名）	xiōngdì	brothers	5
胸脯	（名）	xiōngpú	chest	18
胸罩	（名）	xiōngzhào	bra	14
休息	（动）	xiūxi	rest	2
修	（动）	xiū	to repair; to fix; to overhaul	27
修建	（动）	xiūjiàn	to build	28
袖珍词典		xiùzhēn cídiǎn	pocket dictionary	15

袖子	（名）	xiùzi	sleeve	14
需要	（动）	xūyào	to need	17
许多	（数）	xǔduō	many; much	10
靴子	（名）	xuēzi	boots	14
学习	（动）	xuéxí	to study; to learn	2
学校	（名）	xuéxiào	school	4
雪	（名）	xuě	snow	24
雪糕	（名）	xuěgāo	ice cream	13
血库	（名）	xuèkù	blood bank	19
血型	（名）	xuèxíng	blood group; blood type	19
血压	（名）	xuèyā	blood pressure	19
旬	（量）	xún	a period of ten days of a month	3

Y

压岁钱	（名）	yāsuìqián	money given to children as a lunar New Year's gift	25
鸭	（名）	yā	duck	11
牙齿	（名）	yáchǐ	tooth	18
牙膏	（名）	yágāo	tooth paste	13
牙科医生		yákē yīshēng	dentist	18
牙刷	（名）	yáshuā	tooth brush	13
牙龈	（名）	yáyín	gum	18
雅加达	（专）	Yǎjiādá	Jakarta	4
亚历山大	（专）	Yàlìshāndà	Alexander	23
烟	（名）	yān	cigarette	20
烟灰缸	（名）	yānhuīgāng	ashtray	11
盐	（名）	yán	salt	11
颜色	（名）	yánsè	color	12
眼睛	（名）	yǎnjing	eye	18

眼镜	（名）	yǎnjìng	glasses	13
眼科	（名）	yǎnkē	department of ophthalmology	18
眼科医生		yǎnkē yīshēng	eye doctor	18
眼力	（名）	yǎnlì	judgment; discrimination	14
眼药水	（名）	yǎnyàoshuǐ	eye drops	20
演出	（名）	yǎnchū	performance; show	21
砚台	（名）	yàntai	inkstone	15
宴会	（名）	yànhuì	banquet	21
验	（动）	yàn	to test	19
羊城	（专）	Yáng Chéng	the City of Rams	28
羊肉	（名）	yángròu	mutton	11
阳台	（名）	yángtái	balcony	22
阳性	（形）	yángxìng	positive	19
氧气	（名）	yǎngqì	oxygen	19
痒	（形）	yǎng	itch	18
样式	（名）	yàngshì	pattern	14
邀请	（动）	yāoqǐng	th invite	30
腰带	（名）	yāodài	belt	14
咬伤		yǎoshāng	bitten	18
药	（名）	yào	medicine	20
药店	（名）	yàodiàn	drugstore; chemist's shop	20
药房	（名）	yàofáng	hospital pharmacy	20
药片	（名）	yàopiàn	tablet	20
药水	（名）	yàoshuǐ	liquid medicine	20
药丸	（名）	yàowán	pill; bolus	20
钥匙	（名）	yàoshi	key	27
要	（动）	yào	to need; to have to	10
要是	（连）	yàoshi	if; suppose	27
椰子汁	（名）	yēzizhī	coconut juice	11
爷爷	（名）	yéye	father's father	4

也	（副）	yě	also; too	1
一	（数）	yī	one	2
一…就…		yī…jiù…	as soon as	29
一般	（形）	yībān	usually; common	2
一定	（副）	yīdìng	surely	3
一帆风顺		yī fān fēng shùn	smooth sailing; bon voyage	30
一共	（副）	yīgòng	altogether	13
一会儿	（量）	yīhuìr	a moment	22
一路	（名）	yīlù	all the way; throughout the journey	30
一起	（副）	yīqǐ	together	6
一些	（量）	yīxiē	some	10
一言为定		yī yán wéi dìng	that's settled then	30
一月	（名）	yīyuè	January	3
一直	（副）	yīzhí	straight	7
医生	（名）	yīshēng	doctor	18
医学	（名）	yīxué	medical science; medicine	29
医院	（名）	yīyuàn	hospital	4
衣服	（名）	yīfu	clothing; clothes	27
衣架儿	（名）	yījiàr	coat-hanger; clothes-rack	27
衣领	（名）	yīlǐng	collar	14
颐和园	（专）	Yíhéyuán	the Summer Palace	28
遗憾	（形）	yíhàn	regret; pity	28
移动电话	（名）	yídòng diànhuà	mobile phone	17
宜人	（形）	yírén	pleasant; delightful	28
姨父	（名）	yífu	uncle (husband of mother's sister)	5
姨妈	（名）	yímā	mother's sister	5
椅子	（名）	yǐzi	chair	11
已经	（副）	yǐjīng	already	2

以后	（名）	yǐhòu	after	2
以前	（名）	yǐqián	before	2
艺术	（名）	yìshù	art	29
译	（动）	yì	to translate	15
意大利	（专）	Yìdàlì	Italy	4
意思	（名）	yìsi	meaning	27
因为	（连）	yīnwèi	because; for	23
阴	（形）	yīn	overcast sky; cloudy	24
阴沉	（形）	yīnchén	cloudy; gloomy	26
阴天	（名）	yīntiān	overcast sky; cloudy day	24
阴性	（形）	yīnxìng	negative	19
音乐	（名）	yīnyuè	music	29
音响	（名）	yīnxiǎng	Hi-Fi stereo	22
银	（名）	yín	silver	15
银行	（名）	yínháng	bank	10
饮料	（名）	yǐnliào	drinks; beverage	11
印地语	（专）	Yìndìyǔ	Hindi	23
印度	（专）	Yìndù	India	4
印度尼西亚	（专）	Yìndùníxīyà	Indonesia	10
印刷品	（名）	yìnshuāpǐn	printed matter	16
印象	（名）	yìnxiàng	impression	30
印章	（名）	yìnzhāng	Chinese seal	15
应该	（助动）	yīnggāi	should; must; ought to	16
英镑	（名）	yīngbàng	pound sterling	10
英文	（专）	Yīngwén	English	10
英译本	（名）	Yīngyìběn	English edition	15
英语	（专）	Yīngyǔ	English	23
营业	（动）	yíngyè	to do business; to open	16
硬卧	（名）	yìngwò	hard sleeper	9
硬座	（名）	yìngzuò	hard seat	9

用	（介）	yòng	in；with	10
用	（动）	yòng	to use	15
优美	（形）	yōuměi	graceful；fine；exquisite	28
邮递员	（名）	yóudìyuán	postman	16
邮费	（名）	yóufèi	postage	16
邮局	（名）	yóujú	post office	16
邮票	（名）	yóupiào	stamp	16
邮箱	（名）	yóuxiāng	mailbox；postbox	16
邮政	（名）	yóuzhèng	postal service	16
邮政编码		yóuzhèng biānmǎ	postcode；zip code	16
油	（名）	yóu	oil	12
油画	（名）	yóuhuà	oil painting	15
油腻	（形）	yóunì	oily	12
游览	（动）	yóulǎn	go sight-seeing	28
游泳	（动）	yóuyǒng	swimming；swim	29
游泳衣	（名）	yóuyǒngyī	swimsuit	14
鱿鱼	（名）	yóuyú	squid	11
有名	（形）	yǒumíng	famous	11
有时候		yǒu shíhou	sometimes	2
有意思	（形）	yǒu yìsi	interesting；enjoyable	3
友谊	（名）	yǒuyì	friendship	6
友谊商店	（专）	Yǒuyì Shāngdiàn	Friendship Store	6
又…又…		yòu…yòu…	both…and…	14
柚子	（名）	yòuzi	shaddock；pomelo	25
鱼	（名）	yú	fish	11
愉快	（形）	yúkuài	happy；joyful；cheerful	30
雨	（名）	yǔ	rain	24
雨花石	（名）	yǔhuāshí	Yuhua pebble	22
雨伞	（名）	yǔsǎn	umbrella	13
雨衣	（名）	yǔyī	raincoat	14

语法	（名）	yǔfǎ	grammar	23
羽毛球	（名）	yǔmáoqiú	badminton	29
玉	（名）	yù	jade	15
玉米	（名）	yùmǐ	corn	11
郁金香	（名）	yùjīnxiāng	tulip	22
预报	（动）	yùbào	to forecast	24
预订	（动）	yùdìng	to reserve; to book	27
元	（量）	yuán	*Yuan*	10
元旦	（专）	Yuándàn	New Year's Day	3
元宵	（名）	yuánxiāo	sweet dumplings made of glutinous rice flour（for the Lantern Festival）	25
元宵节	（专）	Yuánxiāo Jié	the Lantern Festival	25
原来	（名）	yuánlái	original; former	6
原谅	（动）	yuánliàng	to excuse; to forgive; pardon	30
原作	（名）	yuánzuò	original work; original	15
圆	（形）	yuán	round	25
圆珠笔	（名）	yuánzhūbǐ	ball-point pen	15
远	（形）	yuǎn	far	4
愿意	（助动）	yuànyì	to be willing	20
约翰	（专）	Yuēhàn	John	22
月	（名）	yuè	month	3
月饼	（名）	yuèbǐng	moon cake（esp. for the Mid-Autumn Festival）	25
月亮	（名）	yuèliang	the moon	25
岳父	（名）	yuèfù	wife's father	5
岳母	（名）	yuèmǔ	wife's mother	5
越…越…		yuè…yuè…	more and more; the more…the more…	23
越秀公园	（专）	Yuèxiù Gōngyuán	Yuexiu Park	7

粤华公司	（专）	Yuèhuá Gōngsī	the Yuehua Company	17
云	（名）	yún	cloud	8
云南	（专）	Yúnnán	Yunnan（Province）	28
运动鞋	（名）	yùndòngxié	sports shoes	14
晕机	（动）	yùnjī	airsick	26
晕机药	（名）	yùnjī yào	airsick pill	26

Z

杂志	（名）	zázhì	magazine	15
再	（副）	zài	again	3
早上	（名）	zǎoshang	morning	1
怎么样	（代）	zěnmeyàng	how	1
炸	（动）	zhá	to fry in deep fat or oil	12
占线	（动）	zhànxiàn	the line is engaged	17
站	（动）	zhàn	to stand	4
站	（名）	zhàn	stop; station	7
站台	（名）	zhàntái	platform	9
站台票		zhàntái piào	platform ticket	9
张	（专）	Zhāng	（a surname）	1
张	（量）	zhāng	（a measure word）	8
张	（动）	zhāng	to open	19
张卫华	（专）	Zhāng Wèihuá	（name of a person）	1
掌握	（动）	zhǎngwò	to master; to know well	23
帐单	（名）	zhàngdān	bill	12
招待	（动）	zhāodài	to receive （guests）; to entertain	22
招待所	（名）	zhāodàisuǒ	guest house; hostel	27
招贴画	（名）	zhāotiēhuà	poster	15
着急	（形）	zháojí	worry; feel anxious	21

找	（动）	zhǎo	to find; to look for	3
找	（动）	zhǎo	to give change	21
赵明	（专）	Zhào Míng	(name of a peron)	22
照	（动）	zhào	to take photo	4
照顾	（动）	zhàogù	to look after; to care for	30
照片	（名）	zhàopiàn	photo; picture	4
蜇伤		zhēshāng	stung	18
哲学	（名）	zhéxué	philosophy	29
这儿	（代）	zhèr	here	4
这么	（代）	zhème	so; like this	2
着	（助）	zhe	(an aspect particle)	22
针	（名）	zhēn	injection	19
珍珠	（名）	zhēnzhū	pearl	15
真	（副）	zhēn	real; really	4
真丝	（名）	zhēnsī	silk	14
枕头	（名）	zhěntou	pillow	27
阵雨	（名）	zhènyǔ	showers	24
正月	（名）	zhēngyuè	the first month of a lunar year	25
正月初一		Zhēngyuè chū-yī	the lunar New Year's Day	25
争取	（动）	zhēngqǔ	to strive for; to fight for; to win over	30
蒸	（动）	zhēng	to steam	12
整	（形）	zhěng	full; complete; whole	3
整齐	（形）	zhěngqí	in a good order	22
整整齐齐		zhěngzhěng-qíqí	neatly; tidily	25
正常	（形）	zhèngcháng	normal; regular	27
正好	（副）	zhènghǎo	just right; just enough; just in time	10
正面	（名）	zhèngmiàn	the obverse side; the right side	16
正在	（副）	zhèngzài	in process of; in course of	17

正中	（名）	zhèngzhōng	middle; centre	25
郑州	（专）	Zhèngzhōu	Zhengzhou	9
之后	（名）	zhīhòu	after	9
支	（量）	zhī	(a measure word)	15
支票	（名）	zhīpiào	cheque	10
知道	（动）	zhīdao	to know	3
职业	（名）	zhíyè	profession; occupation	27
直快	（名）	zhíkuài	direct train	9
直升机	（名）	zhíshēngjī	helicopter	26
侄女	（名）	zhínǚ	niece (brother's daughter)	5
侄子	（名）	zhízi	nephew (brother's son)	5
指甲	（名）	zhǐjia	nail	18
指南	（名）	zhǐnán	guide	15
止咳糖浆	（名）	zhǐké tángjiāng	cough syrup	20
纸条儿	（名）	zhǐtiáor	a slip of paper	21
纸箱	（名）	zhǐxiāng	paper box	16
质量	（名）	zhìliàng	quality	14
中巴	（名）	zhōngbā	medium bus	8
中毒	（名）	zhòngdú	poisoning	18
中国	（专）	Zhōngguó	China	4
中国大酒店	（专）	Zhōngguó Dà Jiǔdiàn	China Hotel	8
中国地图	（专）	Zhōngguó Dìtú	map of China	15
中国日报	（专）	Zhōngguó Rìbào	China Daily	15
中国银行	（专）	Zhōngguó Yínháng	Bank of China	10
中间	（名）	zhōngjiān	middle	4
中铺	（名）	zhōngpù	middle berth	9
中秋节	（专）	Zhōngqiū Jié	the Mid-Autumn Festival (the 15th of the 8th lunar month)	25
中山大学	（专）	Zhōngshān Dàxué	Zhongshan University	21

中午	（名）	zhōngwǔ	at noon	2
中心	（名）	zhōngxīn	center	8
中信广场	（专）	Zhōngxìn Guǎngchǎng	Gitic Plaza	6
中学生	（名）	zhōngxuéshēng	middle school student	4
中药	（名）	zhōngyào	traditional Chinese medicine	20
中医	（名）	zhōngyī	traditional Chinese medicine	18
终点站		zhōngdiǎn zhàn	terminus	8
终于	（副）	zhōngyú	finally; at last	26
钟头	（名）	zhōngtóu	hour	2
种	（量）	zhǒng	kind	13
肿	（形）	zhǒng	swollen	18
中暑	（动）	zhòngshǔ	sunstroke	19
重	（形）	zhòng	heavy	9
种	（动）	zhòng	to cultivate; to grow	22
周到	（形）	zhōudao	attentive and satisfactory; thoughtful	30
周末	（名）	zhōumò	weekend	3
珠江啤酒	（专）	Zhūjiāng Píjiǔ	Zhujiang beer	11
铢	（名）	zhū	Thai baht	10
猪肉	（名）	zhūròu	pork	11
竹器	（名）	zhúqì	bambooware	15
煮	（动）	zhǔ	to boil, to cook	12
主要	（形）	zhǔyào	mainly	23
住	（动）	zhù	to live	4
住宿	（名）	zhùsù	stay; put up; get accommodation	27
住址	（名）	zhùzhǐ	address	6
注射	（动）	zhùshè	to inject; injection	20
注意	（动）	zhùyì	to take care of; to pay attention	2

			to	
祝	（动）	zhù	to express good wishes; to wish	30
转	（动）	zhuǎn	to connect to (an extension)	17
转达	（动）	zhuǎndá	pass on; convey	30
转眼	（动）	zhuǎnyǎn	in the twinkling of an eye; in a instant; in a flash	30
准备	（动）	zhǔnbèi	to plan; to prepare	10
桌布	（名）	zhuōbù	tablecloth	11
桌子	（名）	zhuōzi	table; desk	11
自动	（形）	zìdòng	automatic	28
自动扶梯	（名）	zìdòng fútī	escalator	26
自己	（代）	zìjǐ	oneself	13
自来水	（名）	zìláishuǐ	running water	27
自行车	（名）	zìxíngchē	bicycle	8
自由	（形）	zìyóu	free	23
字	（名）	zì	word; character	17
棕色	（名）	zōngsè	brown	14
总机	（名）	zǒngjī	switchboard; telephone exchange	17
总是	（副）	zǒngshì	always	2
粽子	（名）	zòngzi	a pyramid-shaped dumpling made of glutinous rice wrapped in bamboo or reed leaves (eaten during the Dragon Boat Festival)	25
走	（动）	zǒu	to walk; to go	7
走运	（形）	zǒuyùn	to be in luck; to have good luck	27
租	（动）	zū	to rent; to hire	8

足球	（名）	zúqiú	football; soccer	29
祖籍	（名）	zǔjí	ancestral home	5
钻石	（名）	zuànshí	diamond	15
嘴	（名）	zuǐ	mouth	19
最	（副）	zuì	most	6
最好		zuì hǎo	it would be better to	10
最后	（名）	zuìhòu	the last	9
最近	（名）	zuìjìn	recently	1
昨天	（名）	zuótiān	yesterday	3
左右	（数）	zuǒyòu	about; around	3
做	（动）	zuò	to do; to make	13
作	（动）	zuò	to regard as; to take sb. or sth. for	16
作者	（名）	zuòzhě	author; writer; painter	15
坐	（动）	zuò	to take (a bus); to take (a seat)	8
座	（量）	zuò	(a measure word)	6
座位	（名）	zuòwèi	seat	9